Collection
"Une vision inédite de votre signe astral" :

Bélier (21 mars – 20 avril)
Taureau (21 avril – 20 mai)
Gémeaux (21 mai – 21 juin)
Cancer (22 juin – 22 juillet)
Lion (23 juillet – 22 août)
Vierge (23 août – 22 septembre)
Balance (23 septembre – 22 octobre)
Scorpion (23 octobre – 22 novembre)
Sagittaire (23 novembre – 21 décembre)
Capricorne (22 décembre – 19 janvier)
Verseau (20 janvier – 18 février)
Poissons (19 février – 20 mars)

Le Mois de juillet, extrait du *Calendrier des Bergers.*
(XVIe siècle ; bibliothèque des Arts décoratifs, Paris.)

Cancer

(22 juin – 22 juillet)

"Une vision inédite de votre signe astral"

L'AUTEUR :

Aline Apostolska est née en 1961, dans l'ancienne Yougoslavie. Depuis sa naissance, de multiples voyages l'ont entraînée vers d'autres pays, d'autres cultures. Macédonienne, elle se dit volontiers apatride et européenne, ce qui explique sa quête continuelle des mystères universels et immuables de l'humanité.

Après une maîtrise d'histoire contemporaine, elle devient journaliste culturelle *(Globe, City...),* tout en poursuivant des recherches astrologiques en relation avec la mythologie mondiale, le symbolisme, la psychologie. Les grands médias sollicitent sa collaboration en vue d'une rénovation en profondeur de l'image astrologique : rubriques astrologiques de *Lui* (1986-1988), de R.T.L. (chronique matinale, été 1989), de *Femme actuelle* (1990-1991), de *Votre beauté* (1991) et interviews pour *les Saisons de la danse* (depuis 1991).

Reconnue comme une figure d'avant-garde dans les milieux astrologiques, elle assure aujourd'hui des conférences, stages et séminaires d'astrologie et de symbolisme à travers le monde (France, D.O.M.-T.O.M., Belgique, Italie, Egypte...). Parallèlement, elle est directrice de collections aux Editions Dangles et aux Editions du Rocher.

Elle est, de plus, l'auteur de plusieurs ouvrages :

– *Etoile-moi, comment les séduire signe par signe* (Calmann-Lévy, 1987).

– *Sous le signe des étoiles. Relations astrologiques entre parents et enfants* (Balland, 1989).

– *Mille et mille Lunes* (Mercure de France, 1992).

– *Lunes noires, la porte de l'absolu* (Mercure de France, 1994).

Aline Apostolska

Cancer

(22 juin – 22 juillet)

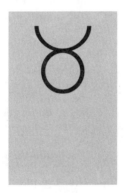

Editions Dangles
18, rue Lavoisier
45800 ST-JEAN-DE-BRAYE

Représentation du Cancer, extraite du célèbre
Liber Astrologicæ (manuscrit latin du XIVe siècle).
(Bibliothèque nationale, Paris.)

ISBN : 2-7033-0403-X

© Editions Dangles, St-Jean-de-Braye (France) – 1994

Le Cancer (miniature des *Heures* de Rohan, xvᵉ siècle).
(Bibliothèque nationale, Paris.)

« *Plus je vieillis, plus je vois que la seule chose qui ne vieillit pas, ce sont les rêves…* »

Jean Cocteau.

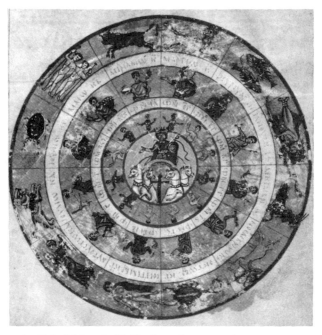

Le Tetrabiblos de Ptolémée, grâce auquel se conserva le savoir astrologique. Il représente le Soleil et les douze signes du zodiaque (art byzantin, 820 apr. J.-C.). (Bibliothèque du Vatican.)

Introduction

Astrologie (1)… le mot est lâché et, dès qu'on l'a prononcé, le public se scinde en deux catégories distinctes : *« ceux qui savent »* et *« ceux qui croient »*.

– *« Ceux qui croient »* croient en l'horoscope (2), c'est-à-dire en une lecture parcellaire d'un hypothétique « Destin » écrit et déterminé une fois pour toutes, et qui nous éviterait une fastidieuse investigation personnelle ainsi qu'un véritable travail de prise de conscience et d'autotransformation.

– *« Ceux qui savent »,* donc les astrologues ou ceux qui ont acquis un savoir symbolique et ésotérique, regardent *« ceux qui croient »* avec la hauteur qui sied à qui veut jauger l'étendue de son champ d'action. Ceux-là se comportent comme les véritables détenteurs de la « vraie » astrologie, celle qui demande une culture vaste et hétéroclite, du recul et un **indispensable amour de son prochain.**

L'astrologie implique donc toujours l'exercice d'un pouvoir. Peut-être que, pour tous ceux qui – à un moment ou un autre de leur vie – entrent dans une demande de reconnaissance et de pouvoir, le premier travail à effectuer reste de savoir pour *quoi,* pour *qui* et *comment* cet exercice peut légitimement se faire.

Alors, à quoi sert donc l'astrologie ?… Essayons d'abord de la définir.

---

1. Astrologie : du grec *astron* (astre) et *logos* (langage) signifie « le langage des astres ».
2. Horoscope : du grec *horoskôpos,* qui « considère l'heure de la naissance ».

1. Vous avez dit « astrologie » ?...

a) Le rapport au Cosmos

« *L'astrologie est la plus grandiose tentative d'une vision systématique et constructive du monde jamais conçue par l'esprit humain.* » C'est à cette définition de Wilhelm Knappich (3) que je me réfère le plus volontiers. Elle place d'emblée le sujet à sa juste dimension et offre une vision vaste des rapports qui relient l'être humain au Cosmos qui le contient et qu'il contient lui-même, puisqu'il est composé des mêmes matériaux que ces lointaines étoiles qu'il regarde avec toujours autant d'admiration et d'envie.

Ce rapport à une loi cosmique, qui semble s'accomplir sans que l'être humain puisse y participer autrement qu'en la subissant, constitue la dynamique centrale et principale du désir d'évolution. Cette confrontation quotidienne de l'homme minuscule à ce Majuscule qui le fascine existe depuis que le premier humain a levé les yeux au ciel et que cette « *tension vers le haut* (4) » l'a propulsé dans une démarche de progrès sans fin.

L'astrologie, système conceptuel *poétique* (qui parle par images s'adressant à l'imaginaire) et *symbolique* (qui met ces images en ordre et leur donne un sens), demeure **le plus vaste outil dont l'homme se soit jamais doté pour tenter de comprendre son rapport à l'infiniment grand** et aiguiser ses capacités de maîtrise des énergies qui l'environnent et qu'il refuse de subir.

---

3. Voir, de Wilhelm Knappich : *Histoire de l'astrologie* (Editions Vernal-Lebaud).

4. Les « Très-Hauts » étant les dieux qui, chez les Anciens, donnèrent leurs noms aux planètes.

Autel romain représentant les têtes des douze dieux de l'Olympe (Antikenmuseum, Berlin).

b) Un pont entre Visible et Invisible

La pertinence et l'universalité de l'astrologie – parmi tant d'autres systèmes conceptuels – demeurent aujourd'hui avec autant de clarté et de spécificité. Elle reste indétrônée, irremplacée, certes complétée par d'autres symboles mais jamais réduite à eux, car les outils dont elle s'est dotée – il y a plus de 4 000 ans – sont, d'après C. G. Jung, *« les archétypes les plus immuables de l'inconscient collectif, archétypes que les générations se transmettent à l'intérieur d'une même civilisation »*.

Cette pertinence et cette universalité sont de nos jours créditées par cette même science qui, jusqu'à hier, au plus fort des matérialistes années 60, était la première à nier l'astrologie. Les dernières conclusions de la physique quantique mettent largement en avant les preuves de l'importance de l'*immatériel* dans la prise de forme physique des organismes vivants. On y retrouve cette dimension primordiale à laquelle nous ont toujours invités les religions, autant que les philosophies mystiques, d'un Visible qui procède de l'Invisible et de la matière créée par l'énergie de l'Esprit…

Dans la lecture qu'elle nous offre effectivement de l'homme et de ses rapports avec son environnement le plus large, l'astrologie jette bien un pont entre Visible et Invisible ; elle permet d'embrasser l'espace-temps d'une vie terrestre en en pointant le centre. Tel un mandala énergétique, un thème astrologique permet de faire le point des **dynamiques motrices** dont un individu est à la fois l'acteur et la scène, et donne la possibilité d'en tirer le meilleur parti, dans tous ses domaines existentiels.

c) Se connaître pour s'aimer et se respecter

Loin d'être une lecture du « destin » dans le pire sens – inévitable et punitif – du terme (5), l'astrologie offre d'abord la possibilité de se connaître mieux, dans ce que l'on a d'*unique* et d'*irremplaçable*. Elle aide à cerner de plus près ce pour quoi « l'on est fait » puis, à partir d'une telle évaluation générale des forces en présence, elle aide à trouver un meilleur équilibre, un sens harmonieux et vivable entre l'*inné* et l'*acquis,* entre le *potentiel* et le *vécu.* L'astrologie a pour ambition de nous permettre de **mieux nous comprendre pour mieux nous aimer, et ainsi d'évoluer en harmonie.**

---

5. « *Le destin est la marque de l'inconscient qui imprime sa loi sur une vie* » (Lou Andréas Salomé).

L'astrologie occidentale devient solaire. Ici, Akhenaton,
pharaon égyptien, offrant un sacrifice au dieu-soleil Aton.

(Musée du Caire.)

d) L'astrologie prédit-elle l'avenir ?

Mieux se connaître, éclairer, orienter, maîtriser les divers domaines de sa vie, en même temps que s'harmoniser avec les dynamiques cosmiques, voilà ce que permet l'astrologie occidentale. Est-elle pour autant prédictive ?

Rappelons qu'au début l'astrologie donna naissance à l'astronomie, puisque c'est avec elle que débuta l'observation quotidienne du ciel. Puis elles se séparèrent inexorablement jusqu'à ce que Colbert – au XVIIᵉ siècle – exclue définitivement l'astrologie de l'Académie des sciences. Il aura fallu attendre le XXᵉ siècle pour qu'Einstein ose proclamer : « *L'astrologie est une science en soi illuminatrice. J'ai beaucoup appris grâce à elle et je lui dois beaucoup.* »

Sur le plan strictement astronomique, **l'exactitude entre le ciel et les signes astrologiques n'existe effectivement plus depuis longtemps,** mais cela n'enlève rien à la pertinence astrologique qui reste uniquement symbolique. Lorsqu'on parle du Lion, on ne parle pas de la constellation stellaire, mais du symbole et des caractéristiques qui lui sont attribuées.

Cette scission astronomie/astrologie signe la marque de l'Occident qui a ainsi voulu se démarquer d'une idée de « *destinée écrite dans le ciel* ». Ce n'est pas le cas de l'Orient, notamment de l'Inde, où le système astrologique s'est constitué au fil des millénaires dans le respect de l'astronomie. La force de l'astrologie occidentale réside dans sa pertinence *psychologique* et *dynamique,* alors que celle de l'astrologie indienne demeure dans la *prédiction.* En ce sens, elles sont profondément complémentaires, mais n'ont pas le même propos : depuis des millénaires l'astrologie occidentale s'est parfaite comme un **outil d'analyse et d'analo-**

gie, alors que l'astrologie indienne a ciselé ses **outils prédictifs.**

Faut-il, pour cela, renier l'astrologie occidentale ? Certes pas. Elle demeure toujours un grand mystère, même et surtout pour *« ceux qui savent »* et en maîtrisent le symbolisme et la technique. L'astrologie, tout occidentale, pour symbolique, psychologique et énergétique qu'elle soit, **continue d'être exacte** lorsqu'il s'agit de s'y référer pour examiner **l'évolution d'une situation.**

Le zodiaque qui ornait le plafond du temple de Dendérah, en moyenne Egypte.
(Bas-relief de l'époque ptolémaïque ; musée du Louvre.)

e) Une leçon de sagesse et d'humilité

Alors oui, ça marche, mais le mystère demeure entier et c'est tant mieux ! Pour l'homme contemporain, trop prompt à se croire capable de tout appréhender et de tout maîtriser, l'astrologie demeure une leçon quotidienne, à travers l'exemple mille fois répété que « quelque chose échappe à notre condition d'humains »... Quoi que l'on ait appris et compris, lorsque l'horloge cosmique se met en marche elle scande des rythmes que nous ne pourrons jamais prévoir, saisir ni connaître dans leur réalité. Au moment où les choses se passent, on est toujours surpris – ou catastrophé – mais surtout dépassé...

L'astrologue qui dit le contraire et prétend avoir tout su, tout prévu, tout analysé, se lance dans une **gageure d'apprenti sorcier** ou vise un rôle de **gourou de la pire espèce.** Les temps actuels sont trop propices à de critiquables abus de toutes sortes de pouvoirs pour ne pas le rappeler.

L'astrologie permet de savoir beaucoup de choses. Elle est un incomparable **outil de prise de conscience** et de connexion cosmique, mais il demeure toujours ce que l'homme ne connaîtra jamais... Dieu l'en garde !

2. Etre d'un signe, qu'est-ce que cela signifie ?

« Je suis Taureau, tu es Verseau, il est Sagittaire... »
Au quotidien, l'astrologie s'exprime ainsi. Nul n'ignore
son signe solaire, même les jeunes enfants qui s'y réfè-
rent avant de saisir ce qu'est l'astrologie. On sait
moins, par contre, quelle réalité recouvre cette symbolique.

Pour décrypter une personnalité ou une situation,
pour saisir les **circulations énergétiques** en place et
comprendre – puis orienter – les **dynamiques motrices**
spécifiques, l'astrologue est en possession d'outils
qu'un vaste savoir (à la fois ésotérique et analogique)
autant que des millénaires d'expériences statistiques
ont permis de fignoler jusqu'à leur donner la pertinence
et la fiabilité actuelles.

a) Les outils de l'astrologie

Ces outils sont les signes, les planètes, les maisons
et quelques points immatériels tels que les nœuds
lunaires, la Lune noire, la part de fortune et, éventuellement, les astéroïdes Chiron et Cérès. Les aspects que
ces différents points forment entre eux impriment la
dynamique générale du thème astral, pointent les
forces, les faiblesses et les caractéristiques de la personnalité dans ses différents domaines d'existence.

Considérons un thème astral comme un parcours
terrestre précis et imaginons que le potentiel de chacun est un véhicule : les signes donnent la couleur de
la carrosserie et les caractéristiques de la marque, les
planètes donnent la puissance et les spécificités du
moteur, tandis que les maisons permettent de savoir à
quel domaine de la vie (personnel, sentimental, professionnel, financier, etc.) s'appliqueront ces caractéristiques.

Le zodiaque et les constellations, avec leurs numéros et leurs degrés (carte du ciel de Dürer, XIXe siècle).

b) Les critères principaux pour mieux se connaître

Comme on le voit sur le dessin, un thème astral met en évidence plusieurs positions planétaires dans différents signes du zodiaque. Nous sommes tous un savant – et unique – mélange de différents composants. Nous roulons tous avec une carrosserie plus ou moins bariolée ! Bien sûr, pour lire et comprendre le tout, il faut être astrologue, mais chacun peut facilement, grâce aux nombreux serveurs télématiques astrologiques ou à des ouvrages de calculs, connaître les éléments essentiels de son thème, pour se référer ensuite aux autres ouvrages de cette collection.

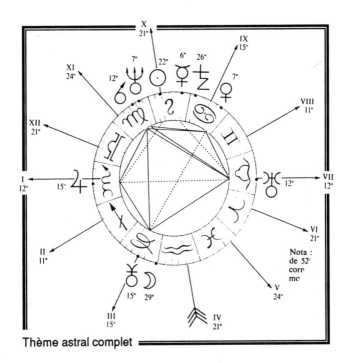

Thème astral complet

✧ **Le signe solaire,** celui qui nous fait dire « *Je suis Taureau, Bélier, Vierge...* » et qui est donné par la position du Soleil au moment de notre naissance, caractérise notre Moi extérieur, notre comportement social et productif, nos références paternelles.

✧ **Le signe lunaire** est au moins aussi important que le signe solaire, car il permet de connaître notre

Moi profond, notre sensibilité, notre imaginaire, notre part intime et notre image maternelle. La Lune parle mieux des aspects essentiels de nous-même, au point que certaines astrologies considèrent le signe lunaire comme LE signe véritable. C'est ainsi qu'en Inde, si vous demandez son signe à une personne, elle vous répondra invariablement par son signe lunaire, vous livrant ainsi la « part cachée » d'elle-même… C'est pourquoi il est important d'étudier aussi son signe lunaire si l'on veut mieux se retrouver et se définir.

✧ **L'ascendant :** plus personne, de nos jours, n'ignore qu'il s'agit d'un élément indispensable qui représente notre personnalité innée, celle qui nous place dans l'histoire familiale et dessine les traits exacts de notre identité quotidienne. Sur un plan technique, l'ascendant représente la maison I ; il est donc un *miroir grossissant :* on s'y voit et l'on y est vu. Le connaître est donc également très important.

✧ **La dominante planétaire :** sur les dix planètes et autres points importants d'un thème, il arrive qu'il y en ait plusieurs dans un même signe qui n'est ni celui du Soleil, ni celui de la Lune, ni celui de l'ascendant. Il peut arriver qu'une planète soit particulièrement importante et qu'elle se trouve dans un signe précis. Cette dominante est ordinairement calculée par les serveurs télématiques de qualité, et il suffit alors de se reporter à l'étude du signe de cette dominante.

Ces différentes approches sont de sûrs moyens de bien utiliser cet outil très élaboré et très subtil qu'est l'astrologie. Sa structure minutieuse la rend parfois complexe et rébarbative pour certains qui préfèrent en rester à leur signe solaire (du moins, dans un premier temps), ou aller consulter un professionnel dans les moments clefs de leur vie. Mais, en astrologie, chacun fait comme il lui plaît, au niveau et au degré qui lui conviennent le mieux.

Comme disait d'elle André Breton, qui l'aimait d'amour fou, *« l'astrologie est une grande dame et une putain... »*. Comme toutes les grandes dames, elle demeure insondable et inaccessible aux *« pauvres vers de terre que nous sommes »* mais, comme les putains, on peut facilement l'aborder en superficie et jouir d'un plaisir légitime et réconfortant parce que éphémère...

3. La roue du zodiaque

a) Les signes, 12 étapes pour la conscience

Levant les yeux au ciel, l'homme vit la trace de la projection du Soleil sur la voûte céleste. Cette projection constitue le zodiaque, formé par 12 constellations, groupes d'étoiles dont on a aujourd'hui pris l'habitude de voir les dessins, et qui donnèrent leurs noms aux signes zodiacaux.

D'après les planètes et les constellations, les Babyloniens (les premiers) établirent un calendrier basé sur l'astrologie et les quatre saisons. Le nom des signes évolua avec l'histoire et les civilisations qui, tour à tour, s'approprièrent « le langage des astres » et le firent évoluer... Mais quels que soient les noms donnés aux signes, ceux-ci eurent toujours pour rôle de marquer l'évolution du Temps et donc, symboliquement, la progression de la personnalité. La roue du zodiaque évoque ainsi, en douze étapes, l'évolution de la personnalité humaine, l'éveil de sa conscience ainsi que le passage d'un plan de conscience à un autre.

Chaque signe a un rôle précis dans cette évolution. Du Bélier qui, avec le retour des forces vives primordiales analogiques au printemps symbolise l'ego à son stade le plus primaire, mais aussi le plus puissant, au Poissons qui, avec la période de la fonte des neiges et la dilution de toutes les certitudes terrestres, représente la disparition de l'ego humain et l'accès – le retour – à un plan cosmique infini et intemporel.

♈ ♉ ♊ ♋ ♌ ♍ ♎ ♏ ♐ ♑ ♒ ♓

b) Douze signes, six axes

Les 12 signes que nous connaissons fonctionnent deux par deux. Il existe en réalité 6 signes véritables, avec chacun une face et un dos (ou un endroit et un envers), mais la dynamique de base et les objectifs vitaux en sont identiques. Ces six axes sont les suivants :

♈ ♎ **L'axe Bélier-Balance,** ou *axe de la relation.* La relation humaine représente le cœur des préoccupations de ces signes, mais chacun y répond d'une manière opposée et, finalement, complémentaire.

✧ Le Bélier dit : « *Moi tout seul, j'existe face à l'autre.* »

✧ La Balance dit : « *Moi à deux, j'existe grâce à l'autre.* »

♉ ♏ **L'axe Taureau-Scorpion,** ou *axe de la pulsion.* Ces signes sont au cœur de la matière humaine et terrestre. Ils connaissent tous les secrets de la vie et de la mort, mais prennent des positions opposées par rapport à cette question de fond.

✧ Le Taureau dit : « *La vie est sur Terre. Je crée et je possède.* »

Jupiter, au centre du zodiaque.
(Sculpture du IIe siècle ; Villa Albani, Rome.)

✧ Le Scorpion dit : « *La vie passe par la mort. Je détruis pour transcender.* »

♊ ♐ **L'axe Gémeaux-Sagittaire,** ou *axe de l'espace.* Ces signes permettent d'accéder à une vision complexe, intellectuelle puis spirituelle de l'humanité. Leur maître mot est le mouvement, mais ce mouvement est vécu différemment par l'un et par l'autre.

✧ Le Gémeaux dit : « *Je bouge dans ma tête. Je conceptualise et je transmets.* »

✧ Le Sagittaire dit : « *La vie est ailleurs. Ma mission est ma quête.* »

♋ ♑ **L'axe Cancer-Capricorne,** ou *axe du temps.* Pour ces deux signes, tout est inscrit entre hier et aujourd'hui ; ils sont chacun à un pôle de la roue de la vie.

✧ Le Cancer dit : « *Je suis l'enfant de ma mère. L'imaginaire est ma réalité.* »

✧ Le Capricorne dit : « *Je suis le père de moi-même. Je gravis ma montagne.* »

♌ ♒ **L'axe Lion-Verseau,** ou *axe de l'individuation.* Ces signes sont ceux du stade de l'adulte accompli. Mais chacun voit différemment son rôle d'adulte parmi les adultes.

✧ Le Lion dit : « *Un pour tous. Je suis le modèle de référence.* »

✧ Le Verseau dit : « *Tous comme un. Je suis solidaire et identique à mes frères.* »

♍ ♓ **L'axe Vierge-Poissons,** ou *axe de la restitution.* A ce stade de la roue du zodiaque, il est temps d'abolir la notion d'individualité. On s'en réfère à l'âme et, plus qu'à soi, on pense à son prochain.

✧ La Vierge dit : « *Je me dévoue sur Terre. Je suis utile au quotidien.* »

✧ Le Poissons dit : « *Je lâche prise. A travers moi, la loi divine s'accomplit.* »

c) Quatre éléments, trois croix

Les quatre éléments Feu, Terre, Air et Eau, combinés selon ces six axes, s'associent également selon une répartition ternaire qui spécifie le type d'énergie élémentaire de chaque signe, ainsi que leur stade d'évolution initiatique. Nous aurons ainsi les trois croix suivantes :

✧ **La croix cardinale :**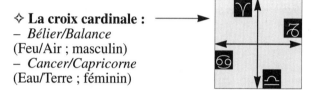
– *Bélier/Balance*
(Feu/Air ; masculin)
– *Cancer/Capricorne*
(Eau/Terre ; féminin)

C'est la **croix de l'Esprit.** En latin, le mot cardinal signifie « gond de la porte ». Les cardinaux *inaugurent l'énergie* de l'élément auquel ils appartiennent. Ils introduisent la notion de disciple propre à la période préparatoire de l'âme au passage de la porte de l'initiation. Ils représentent le premier stade de l'évolution de l'âme.

✧ **La croix fixe :**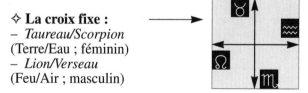
– *Taureau/Scorpion*
(Terre/Eau ; féminin)
– *Lion/Verseau*
(Feu/Air ; masculin)

C'est la **croix de l'âme.** Ils sont les signes sacrés qui symbolisent l'énergie de l'élément auquel ils appartiennent. *Le message divin y est déposé,* d'où leur analogie avec les quatre évangélistes. Ils représentent l'âme à son aboutissement.

◇ **La croix mutable :** ———————→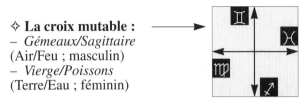
– *Gémeaux/Sagittaire*
(Air/Feu ; masculin)
– *Vierge/Poissons*
(Terre/Eau ; féminin)

C'est la **croix du corps.** Elle spécifie le chemin de la vie quotidienne à laquelle sont assujettis tous les fils des hommes. Elle représente la crucifixion et la difficulté journalière de ceux qui *servent le divin à travers la matière* et son utilisation. Les mutables doivent transmuter l'énergie de leur élément.

Comme nous l'avons dit, nous sommes tous un savant mélange de ces différents paramètres, mais un signe se détache tout particulièrement sur notre chemin.

Un signe, une étoile, un message… A chacun son Bethléem !

Découvrons-le à présent en détail.

I

La vie selon le Cancer

1. La mémoire du cœur

« *Je sens,* dit la chèvre.
Je suis l'enfant choyé de la nature,
Ma foi est récompensée par la confiance,
La chance me sourit sans cesse
Et tout fleurit grâce à ma gentillesse.
Tous mes gestes sont une recherche de la beauté.
Paisible est mon visage et gracieuse mon appro-
che. »

Sensibilité, mémoire et **onirisme,** voilà les trois
mots clefs du signe du Cancer, analogique à la Chèvre
de l'astrologie chinoise. Le mouvement qui portait les
trois signes précédents (Bélier, Taureau et Gémeaux)
se finit à ce stade, comme marquant un temps d'arrêt,
une époque de bilan et, surtout, **un temps d'intériorisation et de digestion.**

D'extérieur et de productif, le mouvement se dé-
place à l'intérieur et introduit la notion d'affectivité
encore absente dans le zodiaque, achevant ainsi la
construction de la globalité humaine. Après l'étincelle
vitale du Bélier, le corps du Taureau et le mental du
Gémeaux, c'est le cœur qui est pointé dans le signe du
Cancer… le cœur pour sentir, pour aimer, pour préser-

ver la vie et s'autoprotéger, mais aussi le cœur-terre glaise dans lequel s'impriment à jamais les empreintes de tout ce qui l'a touché à un moment ou un autre de son existence.

Le Cancer se meut dans la vie avec sa « malle à souvenirs » : au fur et à mesure, il entasse et collectionne toutes les sensations, expressions, images et joies… mais aussi blessures et cicatrices qui ont construit son identité. Peu à peu, cela lui forge une **carapace,** de plus en plus encombrée et de plus en plus étanche. Même plein comme un œuf, son cœur ne rejette jamais rien de ce qu'il a une fois pour toutes inclu. Au mieux, le Cancer arrange, ordonne, décore **la masse croissante des traces de sa vie.** Qu'elles soient encore vivantes importe peu, l'essentiel est qu'il les ait vécues.

Son cœur devient ainsi un sanctuaire où il rend le culte à ses ancêtres, à ses momies, en véritable maître de cérémonie… sinon en docteur « ès empaillages ». Sa chambre devient un antre magique où tout a sa place, de la première trousse d'école et de ses premiers dessins de maternelle, jusqu'aux centaines de lettres amoureusement triées et lacées avec des rubans de satin, même si elles ont porté des messages de désamour ou de rupture… ou simplement le suivi de sa comptabilité quotidienne d'il y a quinze ans. Son ventre se ballonne et sa digestion ne fonctionne pas bien. Son rapport à la nutrition est des plus symptomatique. Il garde le goût du blanc, du crémeux, du mielleux, du sucré ; il est certain que « qui l'aime bien le nourrit bien » et n'est lui-même capable de bien nourrir que ceux qu'il aime vraiment. Tel plat induit tout un rituel, car il est destiné à entretenir le souvenir de telle personne, de tel moment, arrangé au mieux par son imagination ou, au contraire, transfiguré en une

Le Cancer, d'après
Léonard Gautier : *Le
Livre des Zodiaques.*
(XVIIᵉ siècle.)

scène d'horreur lorsque ses capacités d'affabulation se
déchaînent. Le Cancer n'aime pas le temps qui passe ;
il préfère le temps qui demeure, les valeurs du
« depuis toujours et pour toujours ». Son goût du sur-
anné peut alors prendre des formes plus ou moins heu-
reuses : il aime les fées et les magiciens autant que les
vampires ; la fée Clochette et Nosferatu forment pour
lui le couple accompli (lorsqu'il ne s'agit pas, au
contraire, de Peter Pan et de Vampirella…).

C'est simplet de le dire, mais il avance vers le futur
comme les crabes : au pire à reculons, au mieux en
biais. Et tout ce qui arrive à proximité de ses pinces
n'en est plus libéré. Quand il n'est pas en analogie
avec le crabe, il le sera avec l'araignée car, s'il aime la
mer, les dauphins et autres thons lui fichent une
trouille incroyable… Avec l'éléphant, il partage une
plus grande ressemblance, la même qui le range du
côté de la mule du pape : la **mémoire** et ses corol-
laires, la fidélité, le dévouement mais aussi le ressenti-

ment et la **susceptibilité** qui, de temps à autre (parce qu'il n'est pas un violent explosif et agressif) se transformeront en **perfidie.**

2. L'émotion intacte

Au chapitre du cœur, les émois sont forts et virulents. Si le Cancer y garde une trace inaltérable de tout ce qui l'a touché, c'est bien que sa sensibilité et l'immensité de son affectivité constituent à la fois sa force et son talon d'Achille. Effectivement, il ne se sent pas capable d'effacer comme ça ce qui l'a marqué au fer rouge car, plus que tout autre, sa vulnérabilité est aussi vraie devant un tir de canon que devant la plus petite des brises de tramontane. L'effleurer peut l'écorcher : il suffit souvent d'un rien, d'un détail que seul son **imaginaire si vif,** son **inconscient si vigilant,** son **intuition légendaire** et son **état de perméabilité permanente à l'invisible** lui permettent de sentir et de décrypter là où le commun des mortels n'a vu que la réalité banale.

Si le Taureau capte l'Invisible grâce à son corps, si le Gémeaux y accède grâce au mental (et les signes de Feu pas du tout…), le Cancer, lui, le sent. Il sait bien tout ce qui se meut dans les labyrinthes de cette émotion qui le submerge et qui reste enregistrée dans les strates profondes de son subconscient, intacte à jamais. Alors la grâce, la photo, la danse, la peinture, la musique, un geste, un sourire, une parole, une *madeleine* (celle de Proust, natif du signe, partant à la recherche du temps perdu dans les dédales des souvenirs réveillés par une madeleine simplement trempée dans le thé – les eaux de la mémoire cellulaire)… les petits riens de la vie éveillent poétiquement un monde fabuleux et extraordinaire que peu de mortels perçoivent, et qui constitue l'univers de prédilection cancérien. « *Emo-*

tion, mon joyau, mon mystère, mon malheur » peut dire le Cancer.

On ne dira pas qu'il a un cœur d'artichaut – réservé au Lion – mais un **cœur d'éponge,** un morceau de calcaire gorgé d'émotions fourmillantes. Il peut, bien sûr, en faire des merveilles, des diamants utiles à tous parce qu'il sait mieux que personne communiquer avec le cœur, les yeux, les doigts et comprendre autrui avec cette **capacité d'empathie** typiquement féminine que le monde contemporain a complètement perdue. **Sentir pour l'autre** comme si on était à sa place, être capable de s'imprégner de l'émotion de l'autre pour lui servir de miroir et de révélateur – comme la Lune, symbole et planète motrice du signe. Qualité rare qui ouvre sur la tolérance, la tendresse, le partage et l'impressionnisme. Les Cancers ne peuvent alors qu'être fondamentalement gentils, compatissants, pleurer ou rire avec la personne sur laquelle ils sont branchés comme **par médiumnité,** sans compter qu'il leur en faut incroyablement beaucoup pour être amenés à enfin réagir et quitter quiconque leur a fait du mal. Affectueux et attentifs, ils sont touchés par tout et conservent leur sensibilité d'enfance leur vie durant.

Quelle technique adopter pour se protéger un minimum et éviter d'être à chaque fois touché sans retour ? Se sachant fragiles et particulièrement exposés, ils ont heureusement d'imparables **techniques d'autoprotection** très efficaces et très éprouvées. Cela va de la **bouderie tenace** (sport difficile dans lequel ils sont réputés pour être les plus performants) à leur légendaire **force d'inertie,** en passant par tout un savant entraînement aux prouesses du *« un pas en avant, deux pas en arrière »*…

De quoi en lasser plus d'un(e), leur but personnel étant de retarder au maximum le moment où ils mettront leur cœur à découvert. C'est ainsi qu'ils savent parfaitement ce que signifie la **notion de limite,** n'ouvrant les portails d'acier de leur intimité qu'après avoir vu patte blanche et cœur pur, et plutôt cent fois qu'une…

3. Limite et inclusivité

Le Cancer est incontestablement le signe de la *frontier* au sens amérindien du terme, c'est-à-dire de la zone qui marque **le passage d'un territoire à un autre,** d'un clan à un autre, d'une culture à une autre. Il a une perception innée de ce qui fait partie de son monde et, plus encore, de ce qui y est étranger. L'étranger est un danger vital, c'est clair. Il s'agit alors de bien marquer la limite entre le connu et l'autre… à jamais **autre que soi.** Son sens de l'autoprotection s'élabore autour de cette notion qu'il connaît naturellement dès l'origine, sachant immédiatement ce qui constitue le territoire maternel (la matrice, le giron, le cocon puis le foyer) et ce qui reste en dehors. Sur ce modèle, il fera le tri toute sa vie durant. A l'encontre du Capricorne (son jumeau) qui a les mêmes préoccupations mais dont la tactique consiste à exclure, à faire le vide, le Cancer procède par *inclusivité*… **Il fait le plein.**

Cela veut dire qu'après avoir observé – plutôt cent fois qu'une – ce et ceux qui se présentent à proximité de son territoire (il suffit d'observer l'attitude des écrevisses sous un rocher devant un aliment présenté…), il décide de l'inclure à son monde, avec tous les rites de passage de la frontière qui s'imposent, ou de le rejeter définitivement. Une fois l'élu intronisé, la porte étanche se referme, et la nouveauté trouve une place sur les étagères du connu et de l'assimilé. Cela peut prendre des mois, des années, mais une fois fait,

La Lune, miniature extraite du *De Sphæra*.
(Manuscrit italien du xve siècle ; bibliothèque Estence, Modène.)

le retour est impossible, et il faut à « l'élu » bien du courage pour se sortir de là et retrouver une liberté d'aller et venir sans comptes à rendre et sans être culpabilisé… On trouve là une idée de privilège, mais aussi de secte, qui représente autant de désirs, plus ou moins pathologiques, de fusion. On aime ou on n'aime pas, on supporte ou on ne supporte pas, mais le phago-cytage est réel, le modèle de la matrice originelle jamais remis en question.

Tout cela parle de son besoin vital de vivre dans une certaine **globalisation,** de vivre le monde comme une série de groupes autonomes et distincts les uns des autres, compacts et sans communication inter-active. Au pire, c'est de la schizophrénie, au mieux un esprit de club. Les gens marqués par le Cancer parlent souvent du monde par groupes : les bons, les méchants, les noirs, les blancs, les femmes, les enfants… autant de clans utérins organisés. C'est proche, bien sûr, de la manière dont les tout-petits voient l'extérieur à partir du champ de vision restreint que constitue leur foyer quotidien. Tant qu'ils ne se sentent pas prêts à aller dans le monde sans crainte, les petits enfants ne peu-vent intégrer les nuances et les séparatismes qui repré-sentent, à leur stade, autant de dangers de coupure, de scission, de rupture et d'insécurité. Mais ce qui est normal pour tout petit enfant devient un syndrome pour l'adulte qui conserve un tel état d'esprit, surtout si l'on considère le monde tel qu'il doit devenir aujourd'hui.

Caricaturalement, l'esprit cancérien serait plutôt du côté des concepts nationalistes et ancestraux que du côté d'une communauté européenne ou, mieux, inter-nationale. Remonter aux sources éternelles et univer-selles pour découvrir que l'humanité est Une, est, pour lui, mortifère. Le Cancer préfère rester, s'il n'évolue

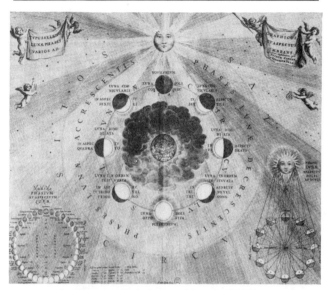

Les phases de la Lune, *Atlas de Celarius.*

pas, membre de sa famille (c'est-à-dire enfant de sa mère) plutôt que citoyen du monde (c'est-à-dire enfant de la société). Voyager signifie alors pour lui aller rejoindre quelqu'un qu'il connaît, dans un lieu où il ne se sentira pas étranger.

4. A maman pour toujours...

Bien sûr, l'image de la mère est partout mais, plus profondément, c'est l'**image du maternel absolu**, avec ses splendeurs et ses horreurs (1), qui est ici détaillée dans tous ces aspects. Rien à faire, l'évolution de l'être humain et de l'humanité tout entière ne

_____

1. Voir, de Aline Apostolska : *Mille et mille Lunes* (Le Mercure de France).

peut se faire – l'histoire nous le dit dans tous ses exemples universels – que par une évolution vers les valeurs de la réalité, de l'autonomie, de la productivité et de la créativité que symbolisent le masculin, le paternel, le solaire. Passer, de façon physiologique et symbolique à la fois, du maternel au paternel, du nocturne au diurne, du lunaire au solaire, signifie devenir grand, c'est-à-dire naître à soi-même après que notre mère physique nous ait fait naître à l'humain, devenir soi pour décider, agir et participer, avec la notion fondamentalement structurante de la perception et de la **reconnaissance de la différence.** Mais le Cancer se fiche de cette nécessité-là !

Au stade d'évolution symbolique qu'il occupe dans le zodiaque (à la quatrième place), il n'en est pas encore là car, pour parvenir dans le monde des adultes – au stade de l'adulte à la personnalité accomplie – il faut accéder au Lion, c'est-à-dire au second palier du zodiaque. L'image du père, la valeur du Soleil au zénith ne le préoccupe pas encore ; elle lui fait même mal aux yeux comme les rayons solaires aveuglent les nouveau-nés… Le Cancer préfère toujours les pénombres et les chambres organisées autour d'un savant clair-obscur, ambiance fœtale et lunaire s'il en est.

《◎》

A l'intérieur du système solaire qui permet la vie sur Terre, il n'existe qu'une seule lumière, celle du Soleil. Mais il est un autre miroir, la Lune, qui retraduit et transforme la lumière solaire en nous en renvoyant 7%, filtrée et composée des seuls rayons jaunes et infrarouges (donc froids et pâles), dont la caractéristique est de n'éclairer que la surface plane des choses et de dessiner ainsi des volumes, aux formes phantasmagoriques plus ou moins inspirantes…

Voir le monde sous la lumière lunaire (pour être exact, il faudrait dire « à la lumière solaire retraduite »…) réveille d'autres capacités psychiques et donne une perception différente de la réalité terrestre et humaine. Nous savons tous à quel point nous sommes marqués par ces luminosités, les uns ne supportant pas la nuit et se levant à l'aube (par analogie psychologique au Soleil), les autres se connectant de nuit, exécrant le matin et s'ébrouant au crépuscule (par analogie psychologique à la Lune). Bien entendu, symboliquement et physiologiquement, l'activité sociale se déroule de jour. Mais si nous avions la possibilité de suivre notre véritable rythme physiologique intérieur, la différence de nos perceptions lumineuses apparaîtrait beaucoup plus nettement.

Cette introduction trouve sa place normale dans ce chapitre sur le souvenir de la mère et surtout, du type de communication particulier du fœtus avec celle qui le porta. Les médiums, les voyants (2) et les extra-lucides, mais aussi – d'une certaine façon – tous les artistes conservent ce type de perception et de communication toute leur vie durant, ne coupant jamais tout à fait, comme devrait le faire tout individu adulte « normal », avec la mémoire cellulaire, psychique et, au-delà, cosmique, propre à l'état fœtal. Parlons aussi ici du développement pathologique des « maladies d'enfermement », ou « maux à la mère », que sont la mélancolie et la dépression chroniques, la schizophrénie, l'anorexie, la boulimie… troubles où l'image maternelle prédomine dans sa version négative et négativante.

Ce n'est pas systématique, mais on trouve une sorte de constance chez les Cancers (ou les personnes qui

2. Voir, de Maud Kristen : *Pour en finir avec Mme Irma* (Calmann-Lévy).

ont une Lune forte dans leur thème) de l'importance maternelle... de la lignée des grands-mères, mères, filles, petites-filles qui s'organisent en véritables *matrilinéarités*. Le côté très positif de ces familles reste la tendresse, l'enveloppement, la solidarité et la chaleur affective et nutritive, qui prennent une large place dans les rapports conviviaux dont profitent aussi amis, voisins, connaissances... toujours bienvenus dans ces foyers chauds et bon enfant.

Sans porter aucun jugement malvenu, il faut retenir le fait que le monde du Cancer est **régi par la Déesse mère,** avec sa double polarité nourricière ou mortifère, comme on retiendra que le signe du Lion est gouverné par l'image centrale de Dieu le Père, avec son impact

narcissique, stimulant ou annihilant. **La prépondérance du Temps est flagrante :** le Temps comme interrogation sur la maturation qu'il apporte et sur le rôle de l'ascendance et de la descendance.

Questions qui se posent exactement de la même façon pour le Capricorne, lui aussi centré sur l'image maternelle sinon, plus encore, sur l'image d'une de ses ancêtres...

Une représentation de la Déesse mère : Diane d'Ephèse.

(Marbre romain du IIe siècle ; photo Alinari/Giraudon.)

5. Juillet, le début de l'hiver...

Le Cancer naît en juin-juillet, période où la nature est, certes, au meilleur de son éclosion. Les champs de tournesol resplendissent, conjuguant leur dorure à celle d'un soleil cuisant. Les coquelicots émaillent les champs de blé et d'orge de motifs écarlates. Les rivières s'assèchent et les humains trouvent quelque quiétude, quelques moments d'intériorisation pour s'occuper un peu plus de ce qu'ils sont en profondeur, en dehors des obligations et des nécessités de la vie sociale et professionnelle. Arrivée à son summum, la vie marque effectivement un temps d'arrêt : expir, calme, plénitude et somnolence. Plus le soleil tape fort et plus on pourrait se laisser embarquer vers les contrées du rêve et de l'évanescence ; l'imagination se développe facilement, et c'est bien le moment de s'initier à la poterie ou de faire la planche sur l'absence de vagues. Une certaine disponibilité – vraie, ludique et joyeuse – s'instaure. Décrivant cet état, on a tout dit du Cancer qui représente, comme cela, **un certain état d'aboutissement.**

Et il s'agit de bien en profiter, de bien faire le plein de soleil dans ses pores, dans ses yeux, dans sa tête, pour en garder le souvenir pendant l'hiver qui vient. Car c'est bien l'hiver qui est en perspective. Les jours déclinent, la passivité s'installe, les fruits doivent être mangés car ils pourriront aussitôt. La terre a déjà tout donné, elle est vidée. Le soleil s'épuise. La nature est ainsi faite qu'elle est à la fois magnifique et impitoyable ; elle n'observe aucun temps de suspension ni de répit. **Au meilleur de l'aboutissement, le processus de mort débute.** Au bout du jour arrive aussitôt la nuit.

Le Capricorne, au contraire, congelé au cœur de l'hiver, peut sourire avec la quiétude de celui qui va

vers l'été. Les graines sont sous la neige, la terre est
en pleine forme parce qu'elle vient de se refaire une
beauté. Les anciens Chinois disaient : *« Au balcon
nord, Soleil »*... Sur son balcon sud, le Cancer a toutes
les raisons de bouder : **l'hiver l'attend.** Alors il se
roule en boule autour de son ventre, sous sa couette.
Son inconscient est habité par la perspective de la
mort. Une fois de plus, cela renvoie à la mémoire
matricielle : les mères, la Terre, la Lune... on en vient,
on s'en sort, on y retourne. C'est la **perfection du
cercle,** symbole cancérien.

Bien sûr, on dira qu'il faut se méfier de l'eau qui
dort. Mais il faut aussi se méfier – ou du moins bien
savoir qu'elle existe – de la fascination du Cancer
pour la passivité, l'indolence ou l'endormissement.
C'est la vie même qui s'endort. Et, d'un coup, en
plein juillet, il fait bien froid...

6. L'apport du Capricorne

N. B. : pour quiconque veut un peu évoluer en
astrologie et sortir des critères rebattus, il s'agit en
tout premier lieu d'arrêter de considérer qu'il existe
six axes de deux signes opposés chacun. Loin d'être
opposés, ceux-ci sont jumeaux. **Le zodiaque est
composé de six paires de signes jumeaux.** Ainsi, si
chaque signe poursuit son objectif central, l'enjeu
sur lequel repose le sens vivant de son existence, **la
méthode pour y parvenir** (la « boîte à outils » et sa
notice explicative) **se trouve dans le signe jumeau
d'« en face »,** dont l'influence est décrite ci-après.

La question de la **maturation** et du **détachement à
l'égard des origines** se trouve doublement posée à
travers la présence du Capricorne qui appartient au
signe du Cancer comme le négatif appartient à la
photo. L'axe Cancer-Capricorne met en présence, sur

la même photo, l'enfant et le vieillard, sans que l'on sache toujours qui est qui, et s'illustre par les proverbes : « *La vérité sort de la bouche des enfants* », ou : « *Avec l'âge on retombe en enfance.* »

Sur l'axe du Temps auquel ils appartiennent ainsi tous deux, si le Cancer a tendance à en rester au stade d'enfant de sa mère, une partie de lui sait bien qu'arrivera le moment de **devenir le père de lui-même.** Cela signifie d'une part qu'il faut remonter plus loin que les géniteurs, pour **retrouver les valeurs universelles communes** à toutes les civilisations et s'intégrer dans la grande famille de l'humanité, souvent plus structurante que l'unique clan originel ; la prédilection du Capricorne pour les études, la philosophie et ses aspirations spirituelles permettent d'effectuer ce détachement. Le Capricorne est symboliquement (et parfois textuellement…) **le signe du deuil des origines que tout Cancer doit effectuer.** Or, les psychanalystes vous diront que le vrai travail de deuil consiste effectivement à accepter de perdre ce qui venait juste avant soi, au profit de retrouvailles avec une source culturelle bien plus ancienne et choisie en toute liberté.

Il faut alors **se demander ce que l'on devient après avoir compris d'où l'on vient.** Le domaine socioprofessionnel, spécifique et analogique au Capricorne et à la maison X qui est la sienne, est le lieu parfait pour répondre à cette question ; or, quitter la cellule familiale est le plus dur pour un Cancer. Une amie astrologue me disait que « *mettre un petit Cancer à la porte est sans doute le meilleur service à lui rendre* ». Oui, mais pas avant 28/29 ans, fin du cycle Lune/Saturne (planètes du Cancer et du Capricorne) car, même si l'individu est parti de chez lui avant, il y a peu de chances pour que la coupure se soit véritablement faite, surtout si la rupture a été vécue comme une obligation ou comme un abandon, et produit les ressentiments, ces liens si forts et si sournois…

Se structurer, s'organiser, gérer, construire comme un architecte sa propre existence, ne pas organiser diverses sortes de dépendances, voilà tout le travail de maturation que chacun doit faire, mais que le langage astrologique attribue symboliquement au Cancer. On ne s'étonnera pas alors de trouver des Cancers secs, froids, rigoureux, tenaces, consciencieux, gestionnaires, lucides, organisés et persévérants, chefs d'entreprise implacables, maîtresses d'école (enseigner permet aussi de rester sous la protection de l'Etat-famille, même en passant de l'autre côté du banc de classe), ou mamas facilement dictatoriales, alors qu'on les imaginait tendres, frêles, évaporées, brouillonnes, etc.

Retrouver le Capricorne en lui c'est donc, pour le natif, **parier sur sa possible autonomie,** même s'il lui reste à savoir comment gérer les regrets d'enfance qui subsistent en toile de fond.

7. L'apport du Sagittaire

Pour chaque signe existe un « total étranger », un signe « martien » qui, parce qu'il possède exactement les valeurs qu'il n'a pas, lui apporte une leçon essentielle. Pour le signe du Cancer, le « parfait martien » s'appelle **Sagittaire.** Si le Cancer veut bien s'y ouvrir, le discours de cet absolu étranger représentera pour lui autant de pistes de vie…

Signe par excellence de l'ailleurs, de l'espace, du mouvement, d'étranger et de différent des habitudes quotidiennes, le Sagittaire représente a priori une terreur pour le Cancer, tellement préoccupé par le besoin vital d'imposer des limites et d'instaurer des rites d'accès à quiconque se présente devant la porte blindée de son territoire. Le Sagittaire symbolise la nécessité d'ouverture et d'accueil. L'apport de l'**Ailleurs,** de l'**inconnu** et de l'**illimité,** l'« appel du large » qu'il draine avec lui, sont autant de bouffées vivifiantes dans l'enclos cancérien.

L'identité universelle et éternelle de l'humanité, à laquelle adhère le philosophe Sagittaire, offre au Cancer la possibilité de se redéfinir et de redéfinir son monde. Voyager, oui, mais pour découvrir, pour se laisser traverser par des émotions que l'on ne retient plus, pour accepter d'être remis en question ; pas pour aller retrouver quelqu'un que l'on connaît et recréer, ailleurs, le cocon connu… Délibérément et sauvagement citoyen du monde, polyglotte et humaniste, le Sagittaire oblige aussi le Cancer à **redéfinir la notion d'identité, de famille, de nationalité autant que celle de protection.** Se protéger et protéger, ce n'est pas seulement se lover autour et nourrir : c'est, bien au contraire – et selon le Sagittaire – éduquer en vue d'une autonomisation de l'individu, d'une plus grande conscience personnelle.

C'est aussi **pouvoir décider de s'enfuir, partir, s'échapper…** quitter et non pas bouder ou pleurnicher. Cela revient aussi, en redéfinissant la famille, à **repréciser la notion d'éducation** qui est commune aux deux signes. Au Cancer qui possède ses enfants, le Sagittaire rappelle qu'ils sont enfants de la Terre et qu'il n'est pas essentiel qu'ils soient nés de notre ventre… Ouf ! dur coup que le Cancer reçoit… pile dans l'estomac ! En ce sens, le Sagittaire conçoit son rôle d'éducateur comme une mission d'éveil alors que le Cancer aime tant faire croire à ses enfants qu'ils vivent dans un conte de Perrault…

L'idée du divin, enfin, les interroge, mais **la notion de connexion à l'Invisible** les sépare. Le Sagittaire n'adhérera jamais à un culte de fermeture ou d'exclusion, car il est par excellence tourné vers la philosophie, la spiritualité et la dimension cosmique, alors que le Cancer a une nette tendance au magique, à l'ésotérique, voire à la *superstition.* Le Sagittaire en est d'ailleurs très irrité au vu de son immense besoin de liberté et de visibilité, qui le fait rire des rituels régressistes et sectaires qui lui semblent fermer la conscience plutôt que l'ouvrir, et rapetisser l'individu plutôt que l'élargir… La notion de secret et d'intimité n'a rien à faire chez le Sagittaire et, cela non plus, le Cancer ne le supporte pas.

Et pourtant, en réfléchissant l'un et l'autre aux arguments apportés respectivement, ils auraient bien des choses à s'apprendre…

8. Synthèse

La vie n'est pas qu'un songe, même si on cherche à l'agrémenter pour la rendre moins quotidienne et moins pesante qu'elle ne l'est en réalité. On a souvent tendance à présenter les Cancers comme d'éternels rêveurs bien peu aptes à s'intégrer dans la vie productive, même s'ils ont également le souci des rapports humains, de la qualité de leur vie et de celle de leur entourage. Ils ont ainsi le sens du pragmatisme, une volonté faite d'obstination et de ténacité et ne gèrent pas si mal que ça leur quotidien. S'ils apprennent à **moins se plaindre** et à moins regretter, à **apprécier le présent** au lieu de ressasser le passé ou de **se projeter dans l'avenir,** ils peuvent mieux jouir de leur imagination, de leur sensibilité, de leur sens artistique et de leur affectivité contagieuse.

Les humains vivent surtout d'amour et existent en s'aimant les uns les autres : cela, le Cancer le sait, et on lui saura gré de nous le rappeler.

II

Comprendre le Cancer

1. La structure élémentaire

✧ *SIGNE FEMININ :*

Polarité féminine, en langage astrologique, exalte la composante réceptive, passive, aimante et accueillante, toutes grandes caractéristiques yin d'intériorisation, de principe nocturne, humide et froid. Cela donne des dispositions à accueillir, comprendre, protéger, réconcilier et retenir, plutôt qu'à extérioriser, aller de l'avant, diviser et revendiquer. Cela signifie aussi que le signe est généralement **mieux vécu par les femmes** car il y a alors harmonie entre la polarité du signe et le pôle sexuel de la personnalité.

Les femmes du signe sont d'ailleurs bien dans leur élément, restant très longtemps de longues jeunes filles au corps d'éphèbe et au tempérament lascif et dépendant à l'égard du compagnon ou du conjoint, ou devenant *a contrario* de mûres femmes en lesquelles on pourra facilement trouver image et rôle maternels.

La personnalité restant plus centrée autour de la maternité que de la féminité, les hommes du signe sont souvent fragiles et enfantins, ou bien deviennent de parfaits papas gâteaux prêts à tout pour le bonheur de leur couvée. L'image d'une mère dominante et prépondérante demeure néanmoins au centre de leur dynamique inconsciente.

✧ *ELEMENT EAU :*

Comme le Scorpion et le Poissons, le Cancer fait partie de l'élément Eau, ce qui met l'accent sur ses **qualités psychiques.** Si les images liées au Feu peuvent se vivre et se rationaliser, celles liées à l'élément Eau se vivent. G. Bachelard écrit : *« L'être voué à l'eau est un être en vertige, la mort quotidienne est la mort... de l'eau. »* L'eau est **l'immensité de l'inconscient** dont tout peut surgir, rêve, imaginaire et règne des sensations qui semblent peu manifestes, mais qui révèlent la vérité de la vie. L'impressionnabilité est la caractéristique principale des gens de l'Eau, associée à la notion de **réceptacle passif,** analogique au yin de la tradition chinoise. La vie intérieure est développée à l'extrême, car les sujets vivent « entre deux eaux », **aux lisières des mondes invisibles.**

Néanmoins, le symbolisme principal de l'élément Eau reste la **fécondité** et la **purification.** Toute vie sort de la profondeur des eaux, dans la nature, dans le monde animal, symbolique, psychique et humain. Dans la cosmogonie originelle de l'Univers – et ceci est vrai dans toutes les civilisations – la vie jaillit de la rencontre entre la Terre et l'Eau. Si l'Air est destiné a véhiculer le Feu-essence pour que la vie naisse, l'union de ces deux éléments fondamentaux est incontournable. L'univers maritime originel est porteur de tous les germes qui mûriront sur Terre. La notion d'*eaux de l'espace,* pourvoyeuses de vie, est présente universellement : dans la mythologie assyro-babylonienne c'est l'*Apsou,* eau bénéfique qui entoure la Terre, apportant bonheur et sagesse mais aussi, parfois, perfides démons comme c'est le cas dans la mythologie slave qui met en scène les figures destructrices des *Vodianoï* qui, selon les phases de la Lune auxquelles est soumise l'eau, rajeunissent et vieillissent.

Le Cancer, extrait du *Traité d'astrologie* de
Mohammed ibn Hasan el-Saoudi.

(Manuscrit turc de 1582 ; Bibliothèque nationale, Paris.)

Cela rappelle l'ambiguïté du symbolisme lunaire et de la figure associée du Cancer. Effectivement, quel que soit le mythe, lorsqu'on imagine le Chaos dont sortit l'ordre cosmique, on se représente une masse d'eaux indifférenciées. C'est le « barattage initial de la mer de lait » de la Tradition indienne, eaux matricielles de l'Univers comme le liquide amniotique est celui de l'humain et qui, par sa blancheur et sa mouvance, n'est pas loin de rappeler le liquide fécondant primordial qu'est le sperme. La naissance du monde terrestre, symbolisée par celle de Vénus dans la tradition gréco-romaine, nous dit bien que du membre coupé d'Ouranos, dont les gouttes tombèrent dans les eaux neptuniennes, indifférenciées et fondamentales, surgit la déesse de la Vie. L'eau donne la vie mais aussi la régénère, ce qui confère aux signes d'Eau leur force insoupçonnable de **régénération** et de **« ressuscitement »**.

L'eau donne ainsi vie au corps, **mais aussi à l'âme ;** elle est, bien sûr, un grand symbole d'initiation et de transformation, car elle amène à subir une épreuve de purification. On la retrouve dans le mythe du Déluge et du recommencement d'un monde purifié sauvé par Noé, comme dans celui des peuples qui, pour atteindre leur terre promise, doivent auparavant traverser des épreuves liquides, comme c'est le cas dans l'épisode de l'Exode du peuple juif entraîné par Moïse à traverser la mer Rouge pour rejoindre la mer Morte. La Lune, qui montre la route et figure l'image de l'Initiatrice, est d'ailleurs toujours associée à ces périples, surtout lorsqu'elle est vue comme une barque (forme de son croissant sur l'équateur terrestre) qui permet de voguer sur les eaux de la transformation, du passage sinon du Grand Voyage, comme celui des *âmes des défunts* dans le mythe du Styx. Toutes les traditions ont d'ailleurs repris cette image d'un voyage fluvial ou maritime pour symboliser le moment de transformation qu'est la mort, ou celui de l'initiation comme dans la navigation des Argonautes en quête de la Toison d'or.

Les eaux du Cancer sont plutôt celles de la **fontaine fraîche** et s'associent donc directement au symbolisme de la fécondité, de la régénération et de la nutrition physiologique vitale, autant qu'à celui de la purification grâce à ces écoulements clairs et vivaces.

Conduits par Jason, les Argonautes s'en vont à la conquête de la Toison d'or.

✧ *SIGNE CARDINAL :*
Comme le Bélier, la Balance et le Capricorne, le Cancer fait partie des signes cardinaux, ce qui lui donne la tâche d'**entamer un cycle.** Ces signes sont encore habités par le signe précédent car ils inaugurent la saison à laquelle ils appartiennent. Ils sont donc caractérisés par le **besoin d'évolution et de transformation,** par une vie intérieure – ou extérieure – en perpétuel

mouvement, un tempérament de pionnier, d'éclaireur et d'initiateur. On peut dire aussi qu'**ils se cherchent encore** car ils sont « ébauchés », contrairement aux signes fixes qui symbolisent la plénitude de l'élément auquel ils appartiennent. Il est intéressant de savoir que le mot *cardinal* vient d'un mot latin qui signifie « gond de la porte » ; c'est ainsi que les signes cardinaux sont les signes de l'Initié, du **disciple au premier stade de son devenir.**

A ce niveau de lecture, le Cancer représente la première porte vers l'existence ; il vient tout juste d'accéder à la première manifestation de l'existence charnelle, mais garde encore la mémoire cellulaire des eaux matricielles dont il a été nourri et de l'histoire humaine dont il est issu. Son action est obstruée de souvenirs, d'émotions et d'impressions diverses. Si l'action initiatrice symbolise les signes cardinaux, il est bien difficile ici de parler d'action au sens énergique et masculin du terme. L'activité cancérienne est bouillonnante, instable, mouvante et soumise à des fluctuations typiques de la croix cardinale, mais elle est ici vécue au niveau intérieur, psychique et émotionnel. L'hésitation, les tourbillons de l'imaginaire autant que l'entêtement et la force d'inertie caractéristiques du signe le font extérieurement plus ressembler à un signe fixe (tout comme le Capricorne), alors que les Béliers et Balances semblent plus visiblement cardinaux, actifs et engendreurs. Néanmoins, c'est le début de l'été, le début de l'être, le début de la vie, le début de la manifestation psychique humaine, et le Cancer appartient bien à sa croix cardinale.

✧ *TEMPERAMENT LYMPHATIQUE :*
   Le concept lymphatique renvoie, dans l'esprit de chacun, à des notions de **mollesse** et de **fluidité.** Il faut y ajouter une caractéristique de réceptivité qui

fonde une vraie **perméabilité** tant sur le plan de la sensibilité, de l'émotivité, du psychisme, que sur le plan organique et notamment microbien. La qualité lymphatique organique renvoie à la **qualité de l'énergie vitale** et à la **réactivité immunitaire de l'organisme,** mais aussi du **psychisme.** Il y a toujours un tri à effectuer entre ce qui est à soi et ce qui ne l'est pas. Faire attention à la notion d'imbibation et d'envahissement, à la possibilité de modification des états de conscience, et à l'effet souvent incontrôlable des médicaments (et notamment des neuroleptiques), des substances alcooliques et des surcharges de tout ordre. C'est un tempérament à tendance **auto-intoxicante** s'il en est. D'où la nécessité intrinsèque de **nettoyage,** de purification, de purge, qui renvoie à la nécessité de tri mais aussi de **rationalisation mentale** permettant de retrouver une clarté psychique, non encombrée de la fluctuation plus ou moins glauque provoquée par les états de fixation et de ressassement émotifs et imaginaires.

Le tempérament lymphatique a néanmoins à son actif une incroyable – car véritablement inattendue et mystérieuse – capacité de régénération, caractérisée par une force de récupération qui permet de ressusciter, de faire peau neuve, recouvrer ses propres forces, de « faire surface » alors que l'on a été envahi et noyé dans des mouvances diverses. Cela tient à l'état de connexion permanente au Cosmique et à l'inconscient collectif ainsi qu'aux qualités d'empathie qui caractérisent les lymphatiques Cancer, Scorpion et Poissons ; capables de s'immerger dans toutes sortes d'eaux plus ou moins nettes, apparemment passifs devant l'invasion, il leur suffit d'un rien, d'un infime mouvement intérieur pour que, grâce à cette même fluidité, ils ressortent indemnes, intacts comme s'ils n'avaient jamais été touchés. Cependant, le Cancer est sans doute celui qui s'en sort le moins bien car, loin de remonter le courant (comme le Poissons) ou de transmuter ses énergies (comme le Scorpion), il régresse et stocke les émotions, bétonnant sa carapace de plus en plus pleine, plutôt que de la vider. Sa santé physique et psychique est ainsi la plus problématique, notamment aux niveaux gastro-entérologique et infectieux, sans parler des fragilités mentales.

✧ *LES ETOILES DU CANCER :*
   Trois constellations sont en relation avec le signe du Cancer : la Grande Ourse, la Petite Ourse et Argo. Il est étonnant que le nom de l'ours ait été repris pour ces groupes d'étoiles, car la figure de l'ours n'existe dans aucun des zodiaques originels, et une étude des noms arabes et hébreux des étoiles de ces constellations indique que les noms anciens sont *le petit troupeau, le mouton, la bergerie, le vaisseau...*
   Alors, effectivement, sous cette dénomination, on les retrouve dans le livre d'Ezéchiel et dans le dixième chapitre de l'Evangile de saint Jean.

   – **La Petite Ourse** est célèbre par la renommée de son étoile la plus brillante, l'étoile Polaire, l'étoile du Nord. Le symbolisme de ce système d'étoiles est celui de la *masse,* du *groupe* analogique au Cancer. L'étoile Polaire renvoie à l'idée d'une étoile conductrice guidant le sujet vers ce qu'il a à découvrir de lui-même pour arriver à maturité. Elle guide aussi le pèlerin qui rentre chez lui, dans sa maison, lieu symbolique du Cancer.

   – **Argo** s'étend sur tout le chemin du Cancer au Capricorne, et c'est l'une des constellations les plus grandes, comprenant 64 étoiles dont la plus brillante est Canope. Son symbolisme couvre la vie de l'aspi-

Gravure allégorique sur le thème de la Lune, par
Martin de Vos (XVIe siècle ; Bibliothèque nationale, Paris).

rant du moment de l'incarnation jusqu'à ce qu'il ait
atteint son but. Nous employons souvent le mot de
« vaisseau » dans son sens symbolique en parlant du
« vaisseau du salut », ce qui donne l'idée de sécurité,
de progrès, de possibilité de trouver une issue, de faire
un voyage et de transporter un grand nombre de pèle-
rins à la recherche d'un trésor ou d'un foyer.

Au stade du Cancer, l'être en est effectivement au
stade de l'aspirant initié, et son problème est de **trouver l'intuition spirituelle,** sensible et profondément
occulte, qui le guidera dans son voyage désormais
solitaire. Au-delà du Cancer, il n'est plus identifié à la
masse et **se spécifie dans une recherche individuelle**
jusqu'au Capricorne inclu, retrouvant la masse en Verseau au sens où, étant un individu accompli, il peut
librement jouer son rôle de serviteur du monde avant
de retourner dans l'indifférencié cosmique du Poissons. Argo trace la route au-dessus de laquelle resplen-
dit l'étoile du Nord ; le Cancer, sortant de sa coquille
originelle (quand il le veut bien et après quelques
ratés), n'a plus qu'à se mettre en route… La Lune veille
sur son chemin.

2. La mythologie du signe

La figure maternelle étant tellement importante dans ce signe, on la retrouve dans les mythes de toutes les civilisations. L'autre point commun tient au dialogue entre les deux luminaires Soleil/Lune et à leurs figures mythiques, car l'équilibre terrestre et humain repose sur le dialogue entre ces deux types de lumières (équilibre bien bancal dans le signe du Cancer)… Enfin, toutes les figures lunaires sont doubles comme l'est le principe féminin : d'un côté protection, luminosité, nutrition et chasteté, de l'autre ombre, dévoration, mort et débauche.

a) Les dieux Lune originels

A Sumer – comme dans toutes les civilisations – le culte de la Lune a précédé celui du Soleil. D'autre part, comme partout du temps des sociétés matriarcales dévolues au culte lunaire, ce dernier a d'abord été représenté par une figure masculine.

On trouve ainsi des correspondances exactes entre le dieu assyro-babylonien Sîn (dont le nom donnera celui du mont Sinaï, montagne de la Lune), vénéré en la ville centrale des adorateurs lunaires qu'était Our, capitale de la Chaldée (Abraham fut d'ailleurs lui-même habitant d'Our et adorateur de la Déesse, avant de quitter le mont Sinaï et de traverser la mer Rouge guidé par la foi biblique, monothéiste et solaire, dont il fut le prophète), les dieux lunaires égyptiens Khonsov (le navigateur) puis Thot, figure centrale du culte dévolu à Hermès Trismégiste à Hermopolis et Sôma, le dieu Lune de la tradition indienne, sorti lui aussi des eaux ou, plus exactement, du barattage de la liqueur divine incarnée par Varouna.

Au Japon également, la Lune est divinisée sous les traits masculins de *Tsuki-Yoni* alors que le Soleil est femme à travers la toute-puissante Amaterasu, ce qui nous rappelle qu'au moment du passage du matriarcat au patriarcat le changement de sexe se fit, changement dont certaines langues occidentales ont gardé la trace – l'allemand, entre autres, qui dit le Lune *(der Mond)* et la Soleil *(die Sonne)* (1)… Le Mexique vénère *Tezcatlipota* tandis qu'apparaît en Chine, pour la première fois, une figure féminine pour diviniser la Lune à travers *Cheng-e,* symbole de fidélité et d'immortalité.

Lorsqu'on traverse la Méditerranée, avec l'apparition des origines de l'identité occidentale mais aussi de l'abolition définitive du matriarcat, on passe à une mythologie lunaire liée au principe féminin et représentée par trois figures connues et complémentaires, qui représentent les multiples visages de la puissance lunaire et de ses effets sur la psyché humaine.

b) Séléné, Artémis et Hécate : totalitaires et inaccessibles

Sous les traits oniriques d'une jeune femme au visage d'une blancheur éclatante, Séléné (sœur d'Hélios le Soleil) personnifie la déesse Lune qui, dans le ciel grec, luit d'un éclat magique. Son nom signifie « la lumineuse » ou, quand on transpose cette lumière sur le plan de l'âme, « sainte » ou « sacrée ». A la tombée de la nuit, lorsque son frère va se reposer, Séléné monte dans le firmament à la tête d'un char majestueux tiré par de fougueux destriers, faisant pâlir tous les astres qui se trouvent sur sa route. Douce et évanescente, elle est *Ahlam,* le rêve, car **elle incarne la part de**

1. Voir, de Robert Graves : *La Déesse blanche* (Editions du Rocher).

rêve pour les humains comme pour les dieux. Elle n'en est pas moins accessible physiquement, puisque la légende lui attribue une longue série d'amants, dont Zeus lui-même, fou d'amour mais impuissant à retenir l'image magique qu'il a tenue dans ses bras sans savoir s'il s'agissait d'un songe d'une nuit d'été ou d'une réalité. Existe-t-elle vraiment la belle Séléné qui s'évanouit en ne laissant que le souvenir à jamais cuisant de sa présence ? Oui, sans doute, comme cette part d'absolu que tout un chacun ne peut trouver que dans son sommeil, dans la poésie et l'art, sinon dans la mort…

La passion de Séléné pour le bel Endymion, fils adultère de Zeus et prince d'Etholie, est célèbre. De leurs amours merveilleuses naquirent cinquante filles, mais cela ne suffit pas à Endymion qui se désespérait de ne jamais partager la vie de son amante inépousable, car sa condition de demi-dieu mortel ne lui en donnait pas la possibilité. Implorant Zeus de lui accorder l'immortalité, il accepte, afin de l'obtenir, d'être **définitivement plongé dans le sommeil,** royaume de Séléné et seul lieu où il pouvait enfin s'y unir à jamais… Dès lors, effectivement, la belle le rejoint chaque nuit, dans la grotte où il dort, célébrant ainsi leurs noces éternelles… A travers cette belle légende de Séléné est personnifié un aspect de la femme, **rêve impossible autant qu'initiateur,** car elle ouvre sur l'espace immortel du sacré… Mais elle éloigne aussi de la réalité, comme quand on suit la Lune sans bien savoir où l'on va arriver… ou se perdre.

Les femmes du Cancer, surtout dans leur prime jeunesse, incarnent dans leur aspect apparemment fluide et fragile ce genre d'amour mystérieux, magique et impossible. Quant aux hommes du Cancer, ils

Séléné, un crois-
sant de Lune
entre les cornes,
regarde le jeune
Endymion endor-
mi.

(Fresque de la
« Casa grande » à
Pompéi, Italie.)

sont toute leur vie durant prêts à suivre un rêve, une image, un souvenir, une femme inaccessible…

Sœur jumelle d'Apollon, Artémis-Diane représente l'impossible d'une manière beaucoup plus active et concrète que sa cousine Séléné. Entourée de sa cour féminine, protégée par des cerfs, déesse de la Chasse et des Bois nocturnes dans lesquels elle court plus vite que le vent, sous les rayons froids de la Lune, Artémis-Diane est imbattable dans l'art du tir à l'arc. Nombreux sont les épisodes au cours desquels elle défie quiconque – y compris son jumeau Apollon – de la battre à la course ou au tir. Mais ces prouesses ont pour but central de préserver sa virginité éternelle, seul cadeau qu'elle demanda et obtint de son père Zeus, trop content de le lui accorder et de conserver ainsi sa fille préférée…

   Mais la préoccupation d'Artémis-Diane n'est pas
d'être fidèle à Zeus mais à sa mère Léto, aux côtés de
laquelle elle veut rester à jamais pour la défendre et la
faire respecter, avec ce désir fou de l'élever au rang
d'une déesse, elle qui avait été condamnée à l'errance
par Héra-Junon, la jalouse et redoutable épouse légitime de Zeus. **Venger la mère, en être la gardienne,** le
point de vue est tout différent et toute différente la
signification, dur idéal qu'Apollon s'empresse d'ailleurs d'encourager… Ainsi, lorsque Artémis-Diane
connut les émois de l'amour pour le beau berger Orion.
Apollon, voyant sa sœur changer et perdre sa redoutable agressivité, inventa un stratagème : l'entraînant
dans un bois, il lui proposa de la défier encore au tir à
l'arc. Il choisit pour cible un point noir très lointain, à
peine visible du lieu où tous deux se tenaient. Il banda

Une des plus tradition-
nelles représentations de
Diane, avec carquois,
flèches et tunique courte
laissant le mouvement
libre.

(*Diane de Versailles,* statue
hellénistique ; musée du
Louvre, Paris.)

son arc le premier et, bien sûr, rata la cible. Artémis, moqueuse, décocha une unique flèche et remporta une fois de plus la victoire. Ils virent la cible s'effondrer. Se rapprochant alors pour voir sa proie, Artémis reconnut Orion qu'elle venait de toucher en pleine tête… Devant ses pleurs de rage et de désespoir, Zeus immortalisa Orion en l'étoile la plus brillante du firmament.

Mais Artémis-Diane n'en resta pas moins dévolue à son rôle de protectrice maternelle, son culte se rattachant d'ailleurs à celui de la Magna Mater originelle, rappelant bien que la virginité – comme la solitude – ne peuvent servir que les « intérêts » maternels…

Diane **préserve aussi la pureté de l'âme grâce à la raison** qu'elle incarne brillamment, écartant toutes les tentations de la passion, charnelle et morale, avec une droiture exemplaire…

L'aspect mortifère, dévorateur et redoutable du principe maternel et féminin, qui existe aussi dans l'inconscient du Cancer, est symbolisé par Hécate la sombre, déesse originelle faisant partie de la première génération de la cosmogonie divine car, née des Titans en même temps que Rhéa et Cronos, elle conserva son titre et ses droits sous le règne des enfants de ceux-ci, gouvernés par Zeus. Hécate incarne la double figure – bienfaisante et fécondante, ou destructrice et mortelle – de l'Eternel féminin. Elle a des pouvoirs magiques et prophétiques et se tient, à ce titre, **à la croisée du « carrefour à trois voies »**… entre Ciel, Terre et Enfer. **A trois têtes** (comme Cerbère le chien des Enfers qui la suit partout).

Hécate représente l'équilibre parfait de la Trinité. Son attribut est le Grand Flambeau grâce auquel elle éclaire les nuits, celles de l'âme et de la Terre, y compris celles de l'Hadès dont elle détient les clefs. Alors, bien sûr, son pouvoir est immense, dans la lignée des Lilith, Hathor, Anaat ou Kali qui sont, comme le dit Lacan, *« Dieu, parce que Dieu est la femme totale »*, notion que confirme le fait que Zeus n'ait jamais bravé cette aïeule originelle, laquelle, contrairement à lui, détient les secrets du début du monde et qui est, de plus, amie de sa mère Rhéa.

L'unique question valable se pose : que fait Hécate de ce pouvoir total ou plutôt, puisque ce sont les hommes qui ont inventé les dieux, que voyons-nous dans Hécate ? **Toute la part sombre de la puissance maternelle.** Au départ, Hécate est ainsi considérée comme bénéfique, pourvoyeuse d'illumination, d'inspiration, de dons de voyance et de prophétie. C'est une magicienne, certes, mais qui **guide dans la nuit au nom du Bien.** En cela, elle fait traverser les ténèbres pour aller vers la lumière.

Cela est le chemin de l'homme qui sait **triompher de son inconscient** et des instincts indomptables qui sont tapis en lui à son insu, et dont il peut à chaque moment devenir l'esclave. Malheur à celui qui, au contraire, se laisse halluciner et entraîner par ses forces obscures. Une fois les vannes de l'inconscient ouvertes, les limons du pire aspect de la nature humaine

Atalante, compagne de Diane et redoutable rivale à la course.
(Marbre antique ; musée du Louvre, Paris.)

Artémis et Orion, bravant la jalousie d'Apollon.
(Peinture de l'Ecole de Fontainebleau ; musée du Louvre, Paris.)

peuvent se déverser, prenant la figure hideuse d'une Hécate à la couronne de serpents, provoquant licence, luxure, meurtre, destruction, cauchemars plutôt que rêves, débauche, rage et perfidie, qui semblent dormir sous la carapace cancérienne et qui sont, aussi, **autant de démons possibles de l'enfance.**

c) Œdipe et sa mère Jocaste

Il est triste d'être aussi tristement célèbre qu'Œdipe… Le freudisme, à travers le galvaudé (et mal connu) *complexe œdipien,* nous en a donné une image culpa-

bilisante et redoutable, en grande partie exacte par
rapport à la mythologie, mais que l'on peut néanmoins lire au moins de deux façons.

D'une part, effectivement, à travers la quête inconsciente d'Œdipe pour retrouver et épouser sa mère
Jocaste (dont le nom signifie d'ailleurs – j'allais dire
bien sûr – « la lune brillante ») après avoir tué son
père. Avec ce que nous avons dit du Cancer jusqu'ici,
l'analogie symbolique du signe avec ce mythe n'étonnera personne, le premier amour de chacun restant la
mère, pour les petits garçons comme pour les petites
filles – ce que Freud n'avait pas compris mais que
d'autres écoles psychanalytiques ont, depuis, cor-
rigé (2). Si Œdipe se retrouve dans cette situation,
c'est qu'il n'a pas connu ses géniteurs puisqu'il avait
été élevé par des parents adoptifs donc, symboliquement, le père n'avait pas joué son rôle séparateur
d'avec la mère.

L'importance de cette coupure est mise en évidence encore une fois pour le Cancer – signe du passage vers l'état d'adulte accompli – car, si elle n'est
pas faite, il y a risque pour le garçon de rechercher dans
l'épouse une image de mère, et pour la fille une image
négativée (Hécate) ou déifiée (Artémis-Diane) de la
mère qui peut, au pire, se solder par une non-accepta-
tion de sa propre féminité... Il est bon de ne pas
oublier alors l'enjeu œdipien et l'âge de 4 à 5 ans pendant lequel ce fameux complexe se met en place avec
l'éveil de la sexualité.

Mais si Œdipe devient aveugle, c'est certes d'une
part que son inceste le plonge dans la nuit de l'inconscient, mais aussi parce que, symboliquement, il accède
– privé de vue extérieure et réelle – à une **vision inté-**

---

2. Voir, de Christiane Olivier : *Les Enfants de Jocaste* (De-
noël).

Œdipe, décontracté, répond à la fameuse énigme sur l'homme posée par le Sphinx.

(Tasse antique ; musée du Vatican.)

rieure des mystères immuables de l'humain, ce qui est aussi confirmé par le fait qu'il est le seul à savoir répondre au Sphinx dont la question a d'ailleurs trait à la définition de l'homme… Œdipe est aveuglé mais *il Sait.* On trouve ici un rappel du flambeau d'Hécate éclairant la nuit.

Cette prise directe avec les mystères éternels, grâce à l'inspiration magique et onirique, est présente dans le Cancer, et cet autre aspect du mythe ne doit pas être occulté…

3. Correspondances dans la mythologie égyptienne

Différente de l'astrologie occidentale dont elle est en partie l'origine, l'astrologie égyptienne apporte un autre éclairage des signes et en découvre des aspects particuliers selon les périodes de naissance. On s'y référera pour élargir le champ de vision de son signe solaire occidental.

a) **Natifs du 21 juin au 13 juillet : sous le signe d'Anubis**

A ce dieu à tête de chien sauvage, on attribue l'invention et la diffusion des techniques d'embaumement. A l'image des chiens errants, ce dieu explora chaque cimetière, accomplissant l'office d'une voirie sacrée. Les soins d'Anubis s'apparentent à l'application et au talent d'un bon peintre ou d'une cuisinière émérite, par le souci qu'il manifeste de choisir les meilleures bases pour préparer des bains, des baumes aux aromates puissants, pour découper et orner comme il convient la part corporelle que l'on veut rendre indestructible. La besogne funèbre n'est jamais macabre. Ce dieu symbolise la mort et les errances des défunts, tant qu'ils ne parviennent pas à convaincre Sekhmet d'ouvrir à leur voyage funéraire le terme de la vallée de l'immortalité.

Habile et plein de compassion, le natif d'Anubis sait qu'il subsiste en lui une présence d'obscurité. Le caractère est fataliste et profondément ambivalent. Les souffrances – probablement très anciennes – créent un mur d'inhibitions qui, souvent, paralysent les initiatives amoureuses. Enfin, il apparaît comme une individualité profonde, conscient de ses tiraillements et prêt à envisager toutes les solutions nécessaires pour y remédier.

– *Signes amis :* Bastet et Isis.
– *Couleurs bénéfiques :* terre de Sienne (hommes) et pourpre (femmes).

♋ Cancer

Anubis.   **Bastet.**

(Dessins : Éditions Gendre-Cartax.)

b) Natifs du 14 au 22 juillet : sous le signe de Bastet

Déesse au corps de femme et à la tête de chatte, Bastet apparaît tardivement dans la religion de l'Egypte ancienne, bien que le symbolisme du chat soit ancien, oscillant entre les tendances salutaires et maléfiques. Associé à l'humain, le chat draine toujours un monde d'absolue perception de l'occulte et de l'origine la plus reculée. L'importance qui lui est attribuée, dans la vie mentale des anciens habitants de la vallée du Nil, est directement reliée à l'aspect fascinant de son regard spectral. Ce félin, qui vient d'on ne sait où, est le dépositaire d'un savoir mystérieux, brillant dans son regard où le vivant soudain se fige. Le chat magnétique peut réduire, par sa seule présence, les ini-tiatives. Bastet est la fascination surgie d'un lieu interdit. Lorsque ce savoir est porté par le corps d'une femme-mère, alors celle-ci peut être vénérée comme une puissance protectrice de l'homme et de ses lignées. La force et l'agilité se mettent au service des humains pour les aider à mieux connaître leurs ennemis cachés et à en triompher.

Le natif de Bastet recherche l'équilibre et l'harmonie dans ses rapports avec autrui. Souvent inquiet, parce que suprêmement averti du jeu des forces psychiques les plus obscures, il sait se dévouer et protéger les autres en négligeant ses propres intérêts… parfois à l'excès.

– *Signes amis :* Sekhmet et Horus.
– *Couleurs bénéfiques :* ocre jaune (hommes) et gris (femmes).

《∞》

Ne prenez pas ces mythes pour des historiettes sans intérêt !

A des niveaux plus ou moins importants, ces images tapissent l'imaginaire des natifs, et ces « drames » se vivent en chacun d'eux, aux moments clefs de leur existence. Les avoir repris ici en détail a pour but de mieux faire comprendre les moteurs essentiels de la personnalité.

4. Synthèse

Le triomphe de l'intuition sur l'instinct et l'intellect.

Le signe du Cancer symbolise le stade où l'on va sortir du monde primordial, celui de la fonte dans le groupe et dans la forme. Avec le Capricorne, ces deux signes représentent les deux portes du zodiaque, le Cancer ouvrant sur la vie terrestre, le Capricorne sur la vie spirituelle. Mais il ne s'agit – dans l'un comme dans l'autre signe – que de portes, et il reste à savoir si l'on va pouvoir les franchir et comment l'on va s'y prendre.

Alice A. Bailey attribue au signe du Cancer le travail d'Hercule *la capture de la biche de Cérynie* (3). Cette biche est aussi appelée « la daine aux cornes d'or », le mot *daine* venant d'un mot gothique qui signifiait « ce qui doit être saisi ». C'est un travail « simple » et très compliqué pour Hercule, qui s'y prendrait volontiers comme une brute... avec massue et force physique à l'appui. Or, pour capturer la biche, il lui faut la pourchasser des années durant, sans la voir, se demandant si elle existe vraiment quand, tout à coup, il l'aperçoit puis la perd encore de vue, tout comme Séléné se profile dans l'imaginaire de l'homme... Enfin il la tient parce qu'il apprend à s'approcher avec amour et à la tenir sur son cœur.

Hercule capture la biche de Cérynie en la saisissant par l'une de ses cornes avant de la prendre sur son cœur.

(Détail d'une coupe grecque ; musée du Louvre, Paris.)

3. Voir, de Alice A. Bailey : *Les Douze Travaux d'Hercule* (Dervy-Livres).

Dans le fait de *la tenir sur son cœur* réside tout le secret du signe du Cancer qui **fonctionne et réagit émotivement à travers son cœur.** Pour franchir la porte de la maturité et entrer dans la vraie vie – réelle et adulte – qui se déploie en Lion, il s'agit pour le Cancer de se sortir du magma groupe, famille, maternité, inconscient… Certes. Mais comment, lorsque l'on sait qu'un Cancer frustré ou brusqué restera pathologiquement accroché à une dépendance affective générale, à cause de blessures reçues (ou présumées) transformées en ressentiment ?

La leçon, ici, est que l'homme adulte n'est ni l'homme instinctif (un peu grossier) des stades Bélier et Taureau, ni l'intellectuel pur du Gémeaux, mais l'homme qui accède au **stade subtil et élaboré de l'intuition :** « *Il n'est nulle chance de succès pour l'aspirant tant qu'il n'a pas transmué l'instinct en intuition ; il ne peut employer judicieusement l'intellect tant que l'intuition n'entre pas en jeu pour interpréter et étendre la portée de l'intellect, amenant la réalisation […] Grâce à l'intuition, l'être devient conscient des choses de l'esprit et des réalités spirituelles que ni l'instinct ni l'intellect ne peuvent révéler* », écrit Alice A. Bailey.

Les philosophies orientales n'en disent pas moins, en reconnaissant **l'intelligence du cœur** (4) comme le stade supérieur de l'adulte conscient et mature. Est-ce trop demander au petit Cancer, terrorisé à l'idée qu'il pourrait braver sans carapace le monde de la dure réalité ? Peut-être, mais il n'en reste pas moins que l'enjeu du signe se trouve dans ce message. **Etre fort dans son cœur, avoir une sérénité intérieure et une**

---

4. Voir, de Thich Nhat Hanh : *La Sérénité de l'instant* (Editions Dangles).

confiance en sa propre identité, permet au Cancer de vivre pleinement et de passer du stade du refuge solitaire sous la couette et dans la rêverie, à celui du partage et de la construction, et de celui de la dépendance à plus d'autonomie.

Némésis, fille de la Nuit, courtisée par Zeus et détentrice du destin car elle connaît et révèle l'essentiel des êtres et des choses. Elle incarne les vers de La Fontaine : *« On rencontre sa destinée, souvent par les chemins qu'on prend pour l'éviter »* (peinture de Dürer).

5. Résumé : forces et faiblesses du Cancer

a) Les forces du signe

🦀 Sensibilité, sensitivité, sentimentalité, délicatesse…

🦀 Intériorisation, intimisme, discrétion, écoute…

🦀 Diplomatie, attention, sens de la nuance…

🦀 Protection, dévouement, sens du groupe et de la famille…

🦀 Artiste, goût des formes et de l'harmonie, musicien…

🦀 Sens du jeu, amour des enfants, imagination débordante…

🦀 Réceptivité, médiumnité, intuition, facultés psychiques…

🦀 Ténacité, persévérance, mémoire, déterminisme…

🦀 Séduction, mouvance, joliesse, fraîcheur d'esprit…

b) Les faiblesses du signe

🦀 Cyclothymie, lunatisme, changements d'humeur…

🦀 Méfiance, suspicion, hésitation, lenteur…

🦀 Autoprotectionnisme, enfermement, limitation…

🦀 Caprices, bouderie, mollesse, « bovarysme »…

🦀 Passéisme, ressassement, passivité, caractère régressif…

🦀 Brouillon, confus, timoré, dépendant…

🦀 Influençable, parasite, « suiveur », malléable…

🦀 Susceptibilité, hypocondrie, « pleurnicherie »…

🦀 Perfidie, manque de sérieux, défaitisme…

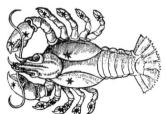

La constellation du Cancer.

III

Les ascendants du Cancer

Comme nous l'avons dit dans l'« Introduction », le signe ascendant, représentant la maison I, reflète votre personnalité.

Sur le plan astronomique, si le signe solaire indique la position du Soleil au mois de la naissance, l'ascendant pointe la position du Soleil aux jour et heure de naissance. Si le Soleil indique métaphoriquement la façon dont on perçoit la lumière, l'ascendant indique la manière dont on voit « midi à sa porte » et, à l'intérieur d'un même signe, chaque ascendant permet de le voir différemment, c'est-à-dire de **percevoir la réalité sous une autre facette...**

En ce sens, l'ascendant est un miroir grossissant à travers le prisme duquel on se voit et l'on est vu. Il est donc très important et, afin de mieux en cerner les caractéristiques générales, nous vous recommandons vivement de lire l'ouvrage de cette collection qui lui est consacré. En attendant, vous trouverez ici une première approche succincte de votre signe solaire avec les correctifs donnés par les 12 ascendants.

Si vous ne connaissez pas encore le signe de votre ascendant, son calcul – sans être très complexe – est néanmoins assez long et délicat, devant se référer à quatre tableaux différents. Nous vous conseillons de vous le faire préciser instantanément par un serveur astrologique télématique ou un ordinateur de calculs astrologiques.

Astrologues
arabes effec-
tuant des
observations.
(Gravure du
XVIe siècle.)

1. Cancer/ascendant Bélier

Des Cancers bien fougueux, coléreux, impulsifs avec une grande difficulté à accueillir la maturité sinistre et si contraignante. Imaginatifs et velléitaires, ils poursuivent leur rêve qui, parfois et heureusement, devient leur réalité. Cela en fait en tout cas des créateurs et des êtres capables d'abattre des montagnes pour que triomphe leur idée fixe et que l'idéal existe au quotidien.

Les femmes sont des « princesses au petit pois » et… avec des biscotauds ! Les hommes, de charmants barroudeurs au cœur d'artichaut, partagés entre guerre et rêve. Ils ont besoin d'un groupe pour vivre en bons petits princes, investis d'une mission de courage et d'enchantement comme il en existe seulement dans les contes de fées ou dans le manuel des Castors Juniors. Ils n'entendent que le langage du cœur.

2. Cancer/ascendant Taureau

Pour concevoir, construire et décorer une maison, puis la remplir d'enfants et de gaieté, il n'y a pas mieux ! Ces natifs sont tout en rondeurs et en sucre, et celui qui les fera sortir de leur cocon mirifique n'est pas né... Ils sont les meilleurs parents du monde et le monde de l'enfance reste leur privilège.

Conservateurs dans leurs vues et leurs goûts, ils sont aussi le prototype du parfait époux, maître de maison accompli, bonhomme et chaleureux. Mais qu'on ne touche pas à leur carapace et qu'on ne leur présente aucun imprévu. Trop sensibles, immatures affectivement, ils haïssent l'idée même d'autonomie et pourraient bien devenir étouffants au passage, sans compter leur susceptibilité et leur possessivité.

3. Cancer/ascendant Gémeaux

Beaucoup d'imagination et de sensibilité sous roche, une forte attache au monde de l'enfance et spécialement à la mère. Ancrés dans cette obsession, ils ont bien du mal à se réaliser en tant qu'adultes responsables tels que définis par les adultes responsables...

Ceux qui les aiment doivent absolument les y aider, les soutenir, suivre leurs jeux et puis, aussi, les rattraper au vol avant qu'ils ne sombrent dans une rêverie solitaire.

4. Cancer/ascendant Cancer

Structure décidément féminine qui fait des hommes rêveurs et ambigus, des femmes maternelles et maternantes. Charme, gentillesse, douceur et sensibilité infinis, beaucoup d'intuition sinon de médiumnité, de l'imagination à revendre et un goût pour faire le clown...

Des chances quand même pour qu'ils restent paresseux et passifs, surtout à l'égard des choses matérielles, jusqu'au moment inattendu où ils basculent en Capricorne, deviennent persévérants, opiniâtres et décidés à réussir, avec une ambition tenace et un

imparable sens de la gestion. Leur vie change lorsque
paraît l'enfant qui devient alors le cœur de leur monde.
Attention à la possessivité…

5. Cancer/ascendant Lion

Toute une mise en scène scintillante couvre leur
monde secret, ce qui les rend un peu pléthoriques. De
deux choses l'une : soit ils s'imaginent bien plus réussis
et brillants qu'ils ne parviennent à le devenir, soit ils
font un complexe d'infériorité.

Quelque chose (d'essentiel) reste cependant à reca-
drer dans leur personnalité, dans leur vision d'eux-
mêmes, dans leur dosage intime entre part masculine
et part féminine. L'image du père est un phare qui les
dirige ou les mène en bateau, suivant la façon dont
l'impact maternel tient la barre… Généreux, ils ont
besoin qu'on les pousse, adorent les enfants et appli-
quent le modèle parental à leur vie amoureuse. Et
puis, être fort qu'est-ce que ça veut dire ? Question
clef…

6. Cancer/ascendant Vierge

Si l'autoprotectionnisme signifie quelque chose,
ces natifs en possèdent toutes les définitions ! Pourtant, ils couvent un vrai sens de la dévotion et de
l'altruisme et se permettent bien des rêveries, même si
le but en est de revenir sur le plancher des vaches. Ils
sont minutieux, précis, simples et hypocondriaques à
un point… interrogeant.

Aux prises avec une idée, là aussi interpellante, de
la pureté, ils éprouvent souvent des problèmes libidi-
naux qu'ils expriment avec violence ou par des rejets
qui les rendent malheureux et encore plus autoprotec-
tionnistes. Finalement, ils attendent qu'on vienne les

sortir de leur boîte, si possible sans faire de saletés, et avec des égards pour leur curiosité intellectuelle et leur amour du mystère. Ils attendent longtemps…

7. Cancer/ascendant Balance

Ceux qu'on appelle des « artistes » en somme, avec un goût du beau, de l'harmonie, de la courtoisie, du geste et de la manière (les « règles du bon ton »). Intuitifs et doués, ils doutent pourtant de partout et de tout, et ne se mettent en route que lorsqu'ils sont épaulés et, au mieux, mariés. Alors se réveille le trait insoupçonnablement central de leur personnalité : l'égocentrisme.

Un rien cabotins et superficiels, saviez-vous que tout leur est dû ? En fait, ils sont les parfaits clients pour pygmalions en mal de créature, mais il faut savoir qu'ils reprendront leur indépendance, même si elle n'est qu'intérieure… Et pourquoi pas ?

8. Cancer/ascendant Scorpion

Oh ! ceux-là sont beaucoup plus compliqués qu'ils n'en ont l'air !… et beaucoup plus coriaces aussi. Secrets, ardents, entièrement instinctifs et intuitifs, ils ont un côté mante religieuse qui leur confère une aura magnétique incroyable. Connectés en permanence sur l'Invisible, ils auront plutôt tendance à verser dans les pratiques ésotériques et la superstition, que dans la véritable illumination spirituelle (tout en affirmant le contraire…).

Fascination et relations compliquées sont de la partie, car ils voient bien des choses, sentent et savent, mais qu'en font-ils ? Au mieux des œuvres d'art, un métier du spectacle ou un métier lié à la psychologie humaine où ils peuvent exceller. Mais l'enfance – difficile neuf fois sur dix, avec une image de mère néga-

tive – leur a légué une angoisse de fond qu'ils ont
besoin d'éclaircir. L'idéalisme les tenaille, le voyage
les motive, la dramatisation les intéresse. Il faut les
aider à se simplifier et leur résister pour les intriguer.

9. Cancer/ascendant Sagittaire

Ils comprennent tout et souhaitent le bien de tous.
Par contre, ils ont tendance à se croire beaucoup plus
forts et plus entreprenants qu'ils ne le sont vraiment,
telle une écrevisse qui se prendrait pour un bœuf… Ils
compensent leur besoin d'être protégés (ou de ne
jamais l'avoir été) en surprotégeant les autres, en faisant d'incessantes B.A. (surtout les natives). Leur grâce
va néanmoins toujours vers les enfants… les leurs,
ceux du monde, ceux qui souffrent en Somalie…

Plus ouverts que les purs Cancers, ils n'aiment pas
les secrets et les complications et entretiennent une
attitude ambiguë vis-à-vis de la notion de foyer : soit
ils sont des pantouflards, soit ils ne peuvent rester en
place. Mais, *« heureux qui comme Ulysse revient un
jour au port… »*.

10. Cancer/ascendant Capricorne

Nature tour à tour tendre, ludique, dépendante,
rêveuse, sensible et pleine de poésie… puis froide,
dure, distante, autonome, lucide, ambitieuse et mora-
liste, avec un incurable romantisme de fond. Ils ont
souvent du mal à vivre, dominés par un immense sentiment de frustration et d'abandon, une tendance à se
replier dans la régression et la bouderie, dans la certi-
tude d'être incompris.

Socialement appréciés, ils ne rêvent que de chaleur
et de relation fusionnelle qu'ils ne s'autorisent pourtant jamais. Aidez-les, quoi ! Ils ont heureusement

l'humour et l'authenticité en plus, et lorsqu'on a fait fondre la glace… quelle crème !

11. Cancer/ascendant Verseau

Un génie inventif naturel, beaucoup de gentillesse, de liberté, un sens vrai de l'amitié et une naïveté enfantine éternelle. Une notion de service et d'aide naturelle. Ils ont un côté international, une envie de remuer mais trop peu de volonté et trop de soumission aux diverses influences qu'ils cassent net – d'un coup de tonnerre définitif – lorsqu'ils sont déçus.

Tout à la fois en quête d'une relation solide et libertaire, ils vivront l'originalité jusqu'au bout. La photo, l'image, le jeu, le théâtre – dans la vie ou sur scène – sont leurs royaumes.

12. Cancer/ascendant Poissons

Hypersensibles, clairvoyants, médiums… vous croyez qu'ils dorment et vous les retrouvez à l'autre bout de la planète ! Ils ont cette capacité dingue de se laisser imbiber de tout et de s'en sortir, plus nourris qu'avant mais intacts, et avec du tact ! Cœurs d'artichauts, certes, mais aussi têtes de mule ; don Juan assurément, mais fidèles à une relation privilégiée, unique parmi des dizaines…

Sensibles et sensuels, ils veulent vraiment aider les autres et y parviennent souvent. Ils vivent ailleurs aussi, bien sûr, sans heures ni limites, à la mesure de leur immense imagination. Et bien sûr, ils sont maso, mais ne définissent pas ce terme ainsi. L'ambiguïté règne là aussi, surtout chez les hommes.

La Lune.
(Gravure allemande du
XVe siècle.)

L'unité cosmique sur laquelle règne la reine de la Nuit.
(Plafond de Karl Friedrich Schinkel.)

IV

Energie et santé

1. Lecture cosmogénétique du zodiaque

Poussière d'étoiles, jumeau énergétique du cristal, de l'océan autant que du chimpanzé (lui-même plus proche de l'homme que du gorille…), l'humain reste un élément de la matrice cosmique qui, par l'intermédiaire de la matrice-mère, lui a permis de s'incarner… par un hasard que même les astrophysiciens les plus avancés sont toujours en train de chercher à découvrir et à expliquer. La plus grande des magies – celle du mouvement permanent des ondes vibratoires – se joue *autour* de nous, *en* nous, *avec* nous, *grâce* à nous, mais aussi parfois *malgré* nous lorsque nous l'ignorons. Les recherches scientifiques les plus pointues viennent aujourd'hui rejoindre la Tradition pour nous redonner conscience de notre identité énergétique sur laquelle nous continuons de fonctionner et qui nous spécifie tout particulièrement.

L'astrologie nous connecte directement sur cet univers vibratoire dont nous sommes issus et que nous portons en nous, à travers l'équilibre – ou le déséquilibre – qui s'établit entre nos trois corps (physique, mental et éthérique). Un thème astrologique est ainsi la carte des circulations énergétiques harmoniques ou disharmoniques dont nous sommes journellement le théâtre ; elle permet de voir immédiatement **le type des énergies qui sont véhiculées par les pla-**

nètes en présence, et par les aspects que celles-ci forment entre elles. Au moment où l'Occident retrouve le sens de l'énergie et où pullulent les tentatives de mieux l'appréhender pour mieux la maîtriser, il est bon de rappeler que l'astrologie est, depuis des millénaires, le premier outil que l'homme se soit trouvé pour se replacer dans l'univers vibratoire dont il est né et pour tenter d'en percevoir le sens et les possibles illuminations.

A chaque planète correspond ainsi une *énergie précise* et à chaque signe correspond une *identité énergétique* qui trouve ses manifestations dans tous les domaines du vécu ; en particulier lorsque la circulation ne se fait pas et que s'installent les nœuds gordiens qui bloquent l'harmonie, dans le domaine de la santé apparaissent alors divers troubles, voire des maladies. Puisque chaque signe fonctionne sur une énergie précise qu'il utilise toujours d'une manière chronique, les déséquilibres et les troubles qui le guettent peuvent être répertoriés et corrigés. C'est alors la **recherche d'un meilleur équilibre** entre excès et manques qui rétablit le bon fonctionnement de la circulation énergétique et du bien-être général de l'individu.

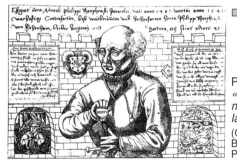

Paracelse.
« *Qu'est-ce qu'un médecin ignorant de la cosmographie ?* »
(Gravure du XVIᵉ siècle ; Bibliothèque nationale, Paris.)

2. Les mots clés de l'énergie Cancer

– **Gestion :** le bon sens, lorsqu'on sait que l'on ne déborde pas d'énergie et que l'on ne pourra infiniment puiser dans ses réserves limitées, consiste à ne pas se gaspiller sans mesure. Le Cancer ne manque jamais de bon sens. L'économie et la juste utilisation de ses atouts représente sa force majeure, moins spectaculaire que celle du Bélier ou du Gémeaux, mieux canalisée et mieux répartie surtout. Le sens de la gestion et de la mesure devient alors un atout principal sous forme d'une utilisation appropriée de ce qu'il faut, dans les proportions qu'il faut et au moment où il faut… C'est ainsi que l'on peut être étonné de se heurter à une résistance imbattable et efficace alors que l'on croit avoir affaire à un « petit Cancer » fragile. C'est la stratégie du matelas ou du bas de laine, images de réserves dissimulées s'il en est.

– **Rétroaction :** dans ce même esprit de réserve, le fait de réagir avec lenteur demeure une caractéristique. Entre le moment où un événement vient à perturber son quotidien et le moment où il exprime la façon dont il l'a reçu et vécu, il peut se passer un temps… indéfini. Le Cancer regroupe ses forces de réaction, ingurgite et digère puis, au moment où tout le monde a tout oublié, réagit avec force – sinon avec violence – et prend tout le monde à revers parce que pendant qu'il a affûté ses armes, les autres ont dispersé les leurs. Subtil… C'est là aussi un signe de méfiance analogue à la stratégie de l'autruche autant qu'à celle de la mémoire éléphantesque. Mais c'est aussi son moyen de défense le plus affiné, sur le plan affectif, psychique mais aussi métabolique et physiologique.

– **Autodéfense :** en analogie avec les espaces fermés (carapace, cuirasse, gaine, poche, matrice, etc.), qui lui permettent de prévenir les agressions et d'en

retarder les effets jusqu'au moment où il est capable
d'y faire face, le signe l'est aussi avec l'inhibition de
l'énergie motrice et créatrice. Compacte, retenue, dis-
patchée au mieux, l'énergie reste surtout d'une effica-
cité défensive certaine. Résistance n'est pas exubé-
rance, impression n'est pas expression. Si la communion
du cœur est intacte, la communication constructive
l'est déjà beaucoup moins. Nécessaire et tactique, cette
force défensive peut, au pire, créer des engorgements,
des nœuds qui fixent l'énergie et qu'il faudra vigoureu-
sement remuer avant de les remettre en circulation.

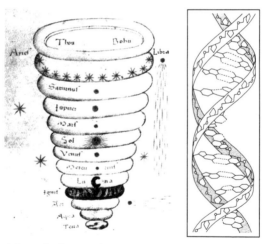

Le schéma de l'ascension mystique, illustrant les énergies
planétaires marquant les paliers de l'évolution de la
conscience (manuscrit d'astrologie du xvᵉ siècle, à gauche),
se retrouve dans la structure aujourd'hui connue de la molé-
cule d'A.D.N. (à droite). Confirmé par la théorie des fractals,
récemment découverte en physique, le lien entre le macro-
cosme et le microcosme est enseigné par la Tradition
depuis des siècles. Par l'existence de ses trois corps, l'homme participe à son origine cosmique.

3. Les correspondances énergétiques

a) La Tradition indienne

Avec le signe du Capricorne, le Cancer correspond au **Svadhisthana chakra,** second chakra (1) de vibration orange appelé aussi *chakra sacré.* Il nous renvoie à une combinaison des éléments Eau et Terre, de composante féminine. Sa tonicité vibratoire est réduite, car elle est fonction de la bonne circulation des émotions.

L'**émotivité** est ici particulièrement pointée, car elle est au centre des interrogations et de la problématique de l'axe. *Svadhisthana* est aussi **le lieu de la circulation de la nourriture,** c'est-à-dire le lieu où l'énergie de l'Esprit produit de la matière grâce aux aliments digérés, et assure la redistribution substantielle dans le corps entier. Le corps physique, ou *Annamaya-Kosha* – **corps de nourriture** – est particulièrement mis en avant à ce stade de la circulation de l'énergie. Se nourrir, comment se nourrir, quel type de nutrition adopter… ce sujet pose bien des interrogations à des niveaux très vastes. Le yogi fera particulièrement attention au type d'aliments qu'il donne à son corps physique en veillant principalement à ce que celui-ci ne prenne le pas sur le corps psychique, et encore moins sur l'âme, dont l'air constitue la seule véritable nourriture. Le corps physique – ou corps de nourriture – renvoie à une dimension assez terrestre de l'existence et pointe une nouvelle fois les liens charnels analogiques à l'enfance.

La nutrition est évidemment liée à l'affectivité et au degré d'autonomie de chacun. Cette notion

---

1. *Chakra,* ou centre d'énergie. Le corps humain en comporte sept. Voir, de Lilla Bek : *Vers la lumière. L'éveil de vos centres énergétiques* (Editions Dangles).

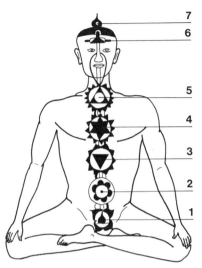

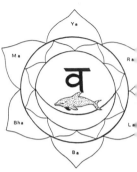

Svadhisthana chakra, analogique au Cancer.

7. **SAHARSRARA** (chakra coronal – Porte du Ciel)
Pierre de rééquilibrage : diamant.
6. **AJNA** (chakra frontal – Troisième œil)
Axe LION-VERSEAU.
Pierre de rééquilibrage : jaspe.
5. **VISUDDHA** (chakra laryngé – Gorge)
Axe GÉMEAUX-SAGITTAIRE.
Pierre de rééquilibrage : émeraude.
4. **ANATHA** (chakra cardiaque – Cœur)
Axe BÉLIER-BALANCE.
Pierre de rééquilibrage : rubis.
3. **MANIPURA** (chakra ombilical – Solaire)
Axe VIERGE-POISSONS.
Pierre de rééquilibrage : rubis.
2. **SVADHISTHANA** (chakra sexuel – Sacré)
Axe CANCER-CAPRICORNE.
Pierre de rééquilibrage : topaze.
1. **MULADHARA** (chakra coccygien – Racine)
Axe TAUREAU (kundalini)-SCORPION.
Pierre de rééquilibrage : améthyste.

demeure centrale dans l'axe Cancer-Capricorne. On rappellera la description de l'alimentation idéale selon le hatha-yoga-Prapidika relative à ce chakra : « *La nourriture onctueuse et savoureuse qui laisse un quart de l'estomac vide et qui est mangée pour la délectation de Shiva, voilà ce que l'on appelle une alimentation mesurée.* » Mais ce sont là paroles inaudibles pour les Cancers et les Capricornes, du moins avant qu'ils aient effectué un vrai travail de réflexion et de prise de conscience, toujours long dans l'axe… Le facteur temps est ainsi aussi important pour le *Svadhisthana* que le facteur rétention.

Néanmoins, la **couleur orangée** (rouge cinabre comme dit la tradition indienne, produite par le mélange des deux éléments alchimiques majeurs : mercure et soufre) témoigne, par rapport au rouge profond du *Muladhara chakra* précédent, de **l'émergence d'une lueur minuscule,** première tentative d'éveil de l'énergie psychique en lutte contre l'obscurcissement de la matière, dans le but de la maturation et de la régénération de l'être. *Svadhisthana* est ainsi le chakra de l'assimilation de l'énergie, de la transformation de nos tendances primordiales et de notre mémoire archaïque la plus opaque. Il est la zone dans laquelle on commence à prendre forme et à acquérir une identité. Il s'agit, pour le yogi, de **se concentrer sur le dépassement de la mémoire ancestrale et de l'ego primitif** afin de déchirer – un petit bout – du voile de l'ignorance et des habitudes, qui l'étreint comme une coquille de protection encore perçue, à ce stade peu avancé, comme salvatrice. « Demeurer ou devenir ? », telle est la question qui se pose ici sans merci.

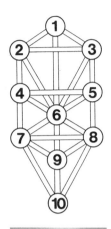

Les Hébreux – comme les Chinois et les Indiens – ont conceptualisé les interrelations énergétiques entre l'homme et le cosmos. Ici, on trouve une mise en correspondance entre l'Arbre des Séphiroth de la tradition juive et les planètes :

1. **Kether,** la Couronne = *Primum Mobile* – Uranus.
2. **Binah,** l'Intelligence = Saturne.
3. **Hochmach,** la Sagesse = Neptune.
4. **Din,** la Justice = Mars.
5. **Hesed,** la Miséricorde = Jupiter.
6. **Tipheret,** la Beauté = le Soleil.
7. **Hod,** la Gloire = Mercure.
8. **Netzah,** la Victoire = Vénus.
9. **Yesod,** le Fondement = la Lune.
10. **Malkuth,** le Royaume = Pluton.

b) L'énergie colorée : Orange = amour et sagesse

Attention, il ne s'agit pas de lire amour + sagesse, mais plutôt toute une série de possibles combinaisons entre l'amour et la sagesse : amour *contre* sagesse, amour *ou* sagesse, amour *malgré* sagesse, amour *plus ou moins* que sagesse... et même amour de la sagesse qui se dit en grec *philo* (amour) et *sophia* (sagesse). Toute l'ambiguïté et la dialectique qui existent entre ces deux notions, en plus de fonder l'humain, entraînent bien des réflexions qui ne peuvent se résoudre effectivement que par l'exercice savant de la philosophie... Toute cette introduction, bien savante elle aussi, met l'accent sur le cœur des préoccupations de ce second rayon de lumière orange. L'émergence de la lueur évoquée dans le chakra indien se rapporte à cette même nécessité de **dompter émotions, passions, désirs, envies diverses par une vision sage et consciente,** dédramatisée et dépassionnée des choses.

Cette nécessité de domptage peut vite devenir un « tic », une déformation quasi obsessionnelle, car c'est bien la **crainte** et l'**attachement** – au lieu de la passion et de la pugnacité – qui sont inhérentes au second rayon. Tenaces dans leurs attachements et sincèrement aimantes, les personnes du second rayon lumineux l'exprimeront naturellement **en servant les êtres aimés** et en s'engageant dans une affection exclusive et sélectionnée. Elles doivent, en conséquence, **se galvaniser pour agir,** bouger et prendre toutes les mesures nécessaires à cette mise en branle vitale. Le retard et le rallongement des délais est leur risque, mais l'atout est incontestablement dans le sérieux et le fini de leurs activités. La peur constitue un blocage permanent, et c'est contre elle que les personnes du 2e rayon doivent constamment lutter avec une **persévérance** identique à celle qu'elles démontrent dans d'autres domaines. Le **discernement** et la **discrimination** doivent aussi attirer toute leur attention car, sans discernement, la personne du 2e rayon est vite dépassée par l'ampleur de son inclusivité.

L'amour reste le principal moteur de ce rayon, mais sa recherche de sagesse le dote d'une possibilité de compréhension perceptive et d'une habileté à voir au-delà de la surface pour appréhender la nature subtile des êtres et des choses. Il est ainsi le rayon de l'Amour intuitif et donne le pouvoir – positif ou envahissant tout en même temps – de s'identifier aux autres et de les sentir de l'intérieur, ce qui renvoie à la force d'empathie typique du Cancer. C'est bien là la magie transfigurative de l'Amour : *« Entre dans le cœur de ton frère et vois sa peine. Tes paroles lui donneront la force pour détacher ses chaînes, mais ne les détache pas toi-même. Ta tâche est de parler avec compréhension jusqu'à ce qu'il dise lui-même : "Il aime, Il se*

*tient à mes côtés, Il sait. Il pense avec moi et j'ai la
force de faire le bien"* (2)... »

c) Le méridien chinois : Maître du cœur = yin bleu des mers du Sud

On ne s'étonnera pas de trouver douze méridiens
attribués chacun à un signe dans l'ensemble des douze
ouvrages qui constituent la présente étude – qui se
veut la plus exhaustive possible – des signes zodiacaux, de leur symbolique et de leurs correspondances
énergétiques. On considère d'ordinaire huit trigram-
mes, représentant huit commandes de fonction. Or il y
a douze corps éthériques de méridiens, qui ne peuvent
se voir que si on n'occulte pas l'existence de quatre
figures à deux traits qui correspondent non pas aux
planètes, mais aux **luminaires** que sont le Soleil et la
Lune. Les deux traits yin correspondent à la Lune et à
la commande de fonction Maître du cœur dans le
signe du Cancer. Les deux traits yang correspondent
au Soleil et à la commande de fonction Triple réchauffeur dans le Lion. C'est en rétablissant ces deux luminaires que l'on parvient à établir une correspondance
logique entre le système des Cinq éléments chinois et
le système des six axes de l'astrologie occidentale.
C'est Marguerite de Surany qui, grâce à sa connaissance de l'énergétique chinoise, a rétabli cette corréla-
tion (3).

▬▬ ▬▬ Méridien Maître du cœur – **Cancer**   ▬▬▬ : Yang
                                                     ▬▬ ▬▬ : Yin

Le bigramme représentant l'énergie lunaire, yin pur.

---

2. *Traité sur la magie blanche* (Editions Lucis).
3. Voir, de Marguerite de Surany : *L'Astrologie médicale
Orient/Occident* (Editions du Rocher, épuisé).

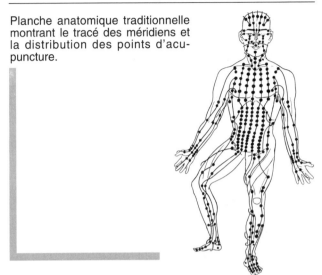

Planche anatomique traditionnelle montrant le tracé des méridiens et la distribution des points d'acupuncture.

Le méridien Maître du cœur se recharge dans les ondes bleu des mers du Sud **entre 19 et 21 heures,** et assure deux fonctions précises :

– Une **fonction circulatoire** (Sinn-Pao, « enveloppe du cœur ») qui agit sur les vaisseaux, les artères, les veines et sur la qualité de la circulation sanguine.

– Une **fonction génitale** (Ming-Menn, « maître du cœur ») qui agit à la fois sur la **formation de l'énergie sexuelle** transmise au méridien Foie (Poissons), sur la **fécondité** et la **période de gestation** du fœtus. La liaison du méridien avec la Lune rappelle que celle-ci joue un rôle primordial dans la fécondité et le développement du fœtus, rôle que les anciens Chinois connaissaient et respectaient alors que notre époque l'a perdu. Le nom même du méridien (Ming-Menn) signifie « Porte de destinée » et fait allusion à la sortie de l'enfer bouddhique par la porte duquel les âmes sont relancées dans la vie. On y verra une liaison claire avec la matrice originelle et la **porte** de la naissance.

Le Maître du cœur agit donc sur les vaisseaux, les organes sexuels et les organes des sens. Il a un rapport avec le **conscient.** Il peut conférer audace, vitalité, force et dissiper les peurs de la nuit intérieure par l'acuité de la conscience. En bon état, il donne des êtres conscients et déterminés dans leurs actes. Le sang circule harmonieusement et le destin est accepté avec richesse et dynamisme.

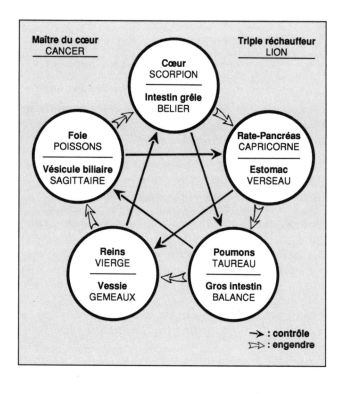

Correspondances énergétiques entre méridiens d'acupuncture chinois et signes astrologiques : saisons, éléments, énergies, organes et viscères, heures de recharge énergétique, couleurs *(cf. dessin ci-contre).*

BÉLIER : méridien *Intestin grêle* – Eté, Feu, chaleur – Langue, cœur, vaisseaux – 13 à 15 heures – Onde rouge.

TAUREAU : méridien *Poumons* – Automne, Métal, sécheresse – Poumons, poils, peau, nez – 3 à 5 heures – Onde vert émeraude.

GÉMEAUX : méridien *Vessie* – Hiver, Eau, froid – Cheveux, oreilles, os, reins – 15 à 17 heures – Onde ocre.

CANCER : méridien *Maître du cœur* – 19 à 21 heures – Onde bleu des mers du Sud.

LION : méridien *Triple réchauffeur* – 21 à 23 heures – Onde or.

VIERGE : méridien *Reins* – Hiver, Eau, froid – Cheveux, oreilles, os, reins – 17 à 19 heures – Onde vert foncé.

BALANCE : méridien *Gros intestin* – Automne, Métal, sécheresse – Poumons, poils, peau, nez – 5 à 7 heures – Onde rose.

SCORPION : méridien *Cœur* – Eté, Feu, chaleur – Langue, cœur, vaisseaux – 11 à 13 heures – Onde rouge grenat.

SAGITTAIRE : méridien *Vésicule biliaire* – Printemps, Bois, vent – Foie, œil, muscles – 23 heures à 1 heure – Onde améthyste.

CAPRICORNE : méridien *Rate-Pancréas* – Fin d'été, Terre, humidité – Bouche, tissu conjonctif, estomac – 9 à 11 heures – Onde noire.

VERSEAU : méridien *Estomac* – Fin d'été, Terre, humidité – Bouche, tissu conjonctif, estomac – 7 à 9 heures – Onde gris irisé.

POISSONS : méridien *Foie* – Printemps, Bois, vent – Foie, œil, muscles – 1 à 3 heures – Onde bleu foncé.

En mauvais état, il produit une soumission à des idées superstitieuses de forces occultes, noires et fatales, rend atone et indifférent, passif devant le déroulement d'une destinée subie comme une malédiction divine. Le chagrin pèse lourd sur ce méridien et l'insécurité, l'atonie sexuelle et la dépression (morale comme physique) s'installent. Insomnies, vertiges, mauvaise circulation constituent des risques. Au pire, on parlera d'angoisse de mort, de tempérament intrigant et aux prises avec des énergies glauques.

En fait, les mots sont clairs : pour être en bon état le Maître du cœur ne doit pas « se faire de mauvais sang » ni « se tourner les sangs », mais agir plutôt que gémir et se renfermer. Conscience, maturité, action… toujours les mêmes recommandations faites au Cancer avec, là encore, le rôle du cœur mis en avant. Enfin, la bonne forme du Maître du cœur est prépondérante car, en acupuncture, on ne touche pas au méridien Cœur (Scorpion) et on ne le rééquilibre qu'en travaillant sur le Maître du cœur (péricarde).

d) L'équilibre par les cristaux (4)

– *Couleurs associées :* vert et blanc argent.
– **Emeraude :** favoriserait la création artistique, développe le sens de la beauté, dispense l'harmonie, permet le développement de la conscience, protège du « mauvais œil » présumé et des attraits superstitieux.
– **Pierre de Lune :** d'après la Tradition, développerait l'émotivité, l'intuition et le psychisme. Aiderait à la progression spirituelle et à la vie intérieure.
– *Pierre rééquilibrante :* **topaze,** pierre solaire qui activerait le rayonnement, la puissance et l'esprit de

4. Voir, de Barbara Walker : *Cristaux : mythes et réalités* (Editions Dangles).

conviction. Toujours d'après la Tradition, elle soulage-
rait les maladies dues au froid, faciliterait l'assimilation de la nourriture et la circulation du sang.

e) Vibrations du signe et prénoms associés

La vie est vibrations. Elle commence au-delà d'un
seuil vibratoire au-dessous duquel la matière ne peut
s'ordonner correctement en fonction d'une action précise. **Chaque prénom est porteur d'une vibration**
calculable et transposable en couleur (les sons et les
couleurs étant les vibrations les plus rapides de l'univers, donc celles qui nous arrivent et nous traversent
de la manière la plus rapide). Même inconsciemment,
nous y réagissons affectivement. Nous dirons donc
que chaque prénom porte avec lui un message vibratoire qui nous le fait *percevoir au niveau affectif* sans
que notre intellect n'y puisse rien, ce qui explique que
certains prénoms nous soient si chers et d'autres si
immédiatement déplaisants.

Aimer le prénom de l'être chéri revient donc à
aimer l'effet transmis par la vibration émise et, à
l'inverse, pourrions-nous vraiment aimer une personne dont nous n'apprécions pas le prénom ? Cela
explique aussi les inclinaisons que nous ressentons
pour certains prénoms voulus pour nos enfants, ou
choisis pour nous-mêmes si nous nous sentons « mal-
nommés » à la naissance (5).

Nous comprenons ici que les prénoms véhiculent
avec eux toute une série de qualités et de caractéristiques que l'astrologie a, par ailleurs, rangée en
signes. D'après leur vitesse vibratoire et la couleur de
leur vibration, voici les **prénoms qui véhiculent les**

5. Voir, de Pierre Le Rouzic : *Un prénom pour la vie* (Albin
Michel).

caractéristiques du signe du Cancer, avec leurs effets sur nos trois plans d'existence : corps, âme, et esprit.

✧ **Prénoms émettant 74 000 vibrations/seconde :**
Antoinette, Arlette, Josette, Nadette…
Couleur : rouge.
Type d'énergie produite : *corps :* colère ; *âme :* passion ; *esprit :* domination.

✧ **Prénoms émettant 75 000 vibrations/seconde :**
Garçons : Alex, Alexandre, Alexis, Aymerie, Elme, Emile, Emilien, Goulven, Jordane, Mayeul, Renald, Ronald, Siegfried, Wilfried…
Couleur : bleu.
Type d'énergie produite : *corps :* vitalité ; *âme :* amour pur ; *esprit :* spiritualité.

Filles : Angèle, Angeline, Angelina, Bibiane, Edmonde, Elfi, Elfried, Mauricette, May, Pénélope, Sidonie, Svetlana, Thècle, Virginie…
Couleur : violet (8/10 bleu + 2/10 rouge).
Type d'énergie produite : *corps :* subconscient ; *âme :* inconscient ; *esprit :* conscient.

✧ **Prénoms émettant 93 000 vibrations/seconde :**
Archambaud, Ariel, Bruno, Canut, Cédric, Crépin, Dante, David, Dany, Elie, Gabin, Gabriel, Gaby, Gracieux, Gwenaël, Jacob, Joachim, Loïs, Marius, Quentin, Salvadore, Salvatore, Valère, Valery, Virgile, Wolfgang, Zacharie…
Couleur : bleu.
Type d'énergie produite : *corps :* vitalité ; *âme :* amour pur ; *esprit :* spiritualité.

✧ **Prénoms émettant 97 000 vibrations/seconde :**
Aymour, Louis, Louison, Manuel, Paulin, Roger, Roparz, Serge…

Couleur : rouge.

Type d'énergie produite : *corps :* colère ; *âme :* passion ; *esprit :* domination.

✧ **Prénoms émettant 107 000 vibrations/seconde :**

Anatole, Archibald, Baptiste, Baptistin, Corneille, Donatien, Ernest, Fidèle, Gand, Hyacinthe, Lénaïc, Mathias, Mathieu, Matthias, Matthieu, Zéphyrin…

Couleur : jaune.

Type d'énergie produite : *corps :* volonté ; *âme :* rayonnement ; *esprit :* intelligence.

f) La glande-miroir : les gonades

Les glandes sont divisées en deux catégories : les glandes *exocrines* (ou glandes à canaux) dont les sécrétions se déversent directement sur les surfaces du corps où doit s'exercer leur influence, et les glandes *endocrines* dont les sécrétions se déversent dans le flux sanguin à partir des cellules qui forment les glandes. C'est le sang qui transporte alors les éléments glandulaires dans les différentes parties du corps. Ces deux catégories de glandes jouent des rôles différents : la vie, dans le corps humain, est impossible en l'absence de glandes endocrines, car leurs sécrétions hormonales assurent l'équilibre vital général ; par contre, l'absence (totale ou partielle) des glandes exocrines n'est pas vitale pour l'expression de la vie, mais primordiale pour la qualité vitale telle qu'elle se manifeste dans le corps. Les gonades (analogiques au Cancer) appartiennent, de par leur constitution cellulaire et leurs fonctions, **aux deux catégories.** On comprend alors leur impact primordial général.

Gonade vient du mot grec *gonos* (« graine »), dont l'équivalent est *gignomai* (« devenir »). Les gonades sont donc considérées comme l'**organe du devenir** et

sont **liées au concept de génération.** Leur fonction
clef – que l'on trouvait déjà dans le rôle du méridien
chinois Maître du cœur – est de **fournir la « semence
du devenir » de l'espèce humaine.** Dans les gonades,
en effet, selon le sexe de l'individu et la façon dont
celui-ci apprend à vivre une identité sexuelle (parmi
les mammifères, l'humain est le seul qui doit apprendre et choisir une identité sexuelle qui est facteur physiologique mais surtout psychologique, éducatif et
social…), se forment les **hormones sexuelles mâles
ou femelles.**

Leur importance dans le bon développement de
l'être est particulièrement marquée lors des phases
clefs que sont la fécondation, la gestation, la naissance, l'allaitement, la puberté, la vie sexuelle active
de l'âge adulte puis la ménopause ou l'andropause. Le
devenir de l'individu est donc intrinsèquement lié au
rôle des gonades et **touche aux domaines de l'identité et de la reproduction, mais aussi de l'auto-
perception de soi en tant qu'adulte.**

Les fonctions gonadiques perturbées influent sur le
bon développement physique de l'individu, créent un
« flou » autour de son identité sexuelle, mais jouent
aussi sur son sexe psychologique car les gonades exercent une profonde influence sur la différenciation du
système nerveux central. La fonction de **reconnaissance de soi** en tant qu'homme ou femme, **la conscience de son rôle social et familial d'adulte mature**
y sont étroitement liées. Autant de questions qui tou-
chent de près les Cancers avec l'image et le vécu
maternel comme axes centraux de cet équilibre. Les
potentiels problèmes typiquement cancériens de fixation à l'enfance, de crise d'adolescence avec anorexie,
boulimie ou mélancolies plus ou moins aggravées, ou
au contraire le désir précoce d'enfants et d'équilibre

familial trouvent, dans le rôle des gonades, une manifestation typique.

❦

Et sur le plan psychique et spirituel, qu'en retien-
drons-nous (6) ?

Encore une fois, la question centrale du Cancer :
« demeurer ou devenir », va se poser, à une dimension supérieure, car l'harmonie sexuelle et physiologique de l'être renvoie sur son harmonie spirituelle.
Ainsi, dans notre vie psychique, les fonctions exocrines des gonades trouvent une correspondance avec
les « semences du devenir » engendrées dans les profondeurs de notre âme où elles se manifestent par
l'expression – possible ou retenue – de nos aspirations
et de nos désirs. Les fonctions endocrines des gonades, influençant la différenciation du système nerveux
central, sont en majeure partie l'instrument de la perception et de la conscience de nous-mêmes. Toutes les
activités cachées de notre inconscient et de nos
influences psychiques intérieures influencent notre
niveau de conscience.

En résumé, les gonades, caractérisant nos aspirations et nos désirs, influencent la manière dont notre
âme perçoit les *stimuli* extérieurs et intérieurs, et y
répond. Y a-t-il circulation ou blocage, accueil ou pro-
tectionnisme, liberté ou dépendance, notre âme est-
elle **instrument de participation et de partage universel** ou bien reste-t-elle ancrée sur ses acquis
antérieurs restreints ? Toujours les mêmes questions
que la vie se charge de poser régulièrement au Cancer
jusqu'à ce qu'il grandisse… au sens profond de ce
verbe.

----

5. Voir, du docteur Oslow H. Wilson : *Les Glandes, miroir du
moi* (Editions Rosicruciennes).

4. Conséquences symptomatologiques

Autant le dire tout de suite, le Cancer fait partie des signes à « petite santé ». Cependant, sa résistance sur la longueur est souvent déconcertante et puis, entre son hypocondrie bien connue et la réalité, on ne sait jamais jusqu'à quel point il est vraiment malade… Enfin, détestant le sport et ayant plutôt tendance à s'économiser et à se soigner à l'excès, ses fragilités ne font qu'augmenter. Prudence, fixation, immobilisme et lenteur deviennent ainsi les mamelles de la santé du Cancer et, sur le modèle mammaire, les effets en sont doubles :

– D'un côté cette prudence attentive à son corps et à son équilibre diminue les risques d'accidents, de cassures, de conséquences physiques et psychiques violentes et inattendues. Les risques d'épuisement organique, avec les conséquences infectieuses qui en découlent, s'amoindrissent. **Le sommeil, leur remède clef,** constitue également une fameuse source de recharge et de rééquilibrage tant physique qu'émotif et psychique, même si les natifs tendent à en abuser au grand dam de leur entourage !…

– De l'autre côté, l'inertie et l'économie énergétique **provoquent des surcharges** de tout ordre (en particulier pondérales et rénales), ainsi que des **congestions diverses** (notamment circulatoires et respiratoires). Faire attention à soi et se pelotonner constituent donc une philosophie de vie ambiguë qui, à l'excès, peut devenir un vrai frein à la vie elle-même. Sur ce plan comme sur d'autres, il est bien difficile de « bouger » l'été, cet état d'apesanteur torride où toute activité est suspendue et où, véritablement, le temps marque une pause. Le Cancer doit lutter contre lui-même pour ne pas étirer cette période à l'infini, sous peine de troubles aggravés que l'hiver lui rappelle sans tarder…

a) Points faibles du Cancer

– **Circulation sanguine :** elle représente le principal point faible du signe et s'explique par une paresse générale du fonctionnement cardiaque que sa haine de l'effort et du sport ne vient pas réactiver. Les faiblesses respiratoires typiques du signe ne favorisant pas non plus l'oxygénation du sang, le terrain est propice à l'irrégularité circulatoire, aux maladies cardio-vasculaires et à leurs conséquences sous forme de congestions tissulaires et veineuses diverses : varices, veinosités, jambes gonflées et lourdes, vaisseaux fragiles, couperose…

– **Faiblesse respiratoire :** traditionnellement, le Cancer a un squelette fort, une cage thoracique rigide mais trop fine et peu développée. La physionomie typique fait des individus à la partie stomacale large et prépondérante, avec des épaules et un thorax rétréci (le rétrécissement de la cage thoracique s'accentue avec l'âge), d'autant que le **faible tonus musculaire général** n'est pas propice à développer les pectoraux. **Les poumons et leur fonction sont généralement en insuffisance,** rappelant le peu d'affinité du signe avec l'élément Air et sa prédilection pour l'Eau (que l'organisme retient d'ailleurs à l'excès). Depuis l'enfance, le Cancer accuse de sérieuses fragilités pulmonaires et respiratoires que l'atonie cardiaque n'améliore pas : bronchites, asthme, coqueluche, pneumonie, pleurésie, broncho-pneumonie… ainsi que les troubles O.R.L. qui en découlent.

– **Insuffisance rénale :** cela renvoie à l'eau et à sa gestion (problématique) par la structure organique cancérienne. Les natifs ont besoin d'eau et boivent souvent plus qu'ils ne mangent (quoique…). Sur ce point c'est tout ou rien : soit ils n'avalent pas une goutte et arrivent péniblement à ingurgiter un quart de litre de liquide par jour, soit ils boivent sans cesse jusqu'à s'en sentir ballonnés. Dans tous les cas, leurs tissus sont généralement adipeux, surtout chez les femmes dont les sécrétions hormonales gonadiques sont abondantes et prédisposent à l'excès. Les périodes de la puberté et de la ménopause sont d'ailleurs toujours à surveiller, plus que chez d'autres signes encore. Le fonctionnement rénal est mis en évidence à travers tous ses troubles : au lieu de faire son tri et de favoriser l'élimination, c'est plutôt un état d'engorgement et de surcharge qui s'installe chroniquement si l'on n'y prend garde. Attention alors aux néphrites aiguës ou chroniques, uricémie, goutte, athéromatose, diabète… vite advenus.

– **Problèmes gastro-entérologiques :** avec les problèmes circulatoires, ces fragilités gastriques sont typiques du Cancer et des personnes marquées par la Lune en général. L'impact psychologique et les « maux à la mère » y sont très directement lisibles. On ne répétera jamais assez le rôle compensatoire et ambigu de l'alimentation dans la vie cancérienne, surtout sa prédilection pour les laitages et le sucre. A l'inverse, on trouvera les Cancers qui se privent, se « punissent » et n'avalent plus rien, et tous ces désordres ajoutés à la **lenteur digestive générale** peuvent entraîner des **variations de poids incessantes,** de l'obésité chronique ou de la maigreur incurable, trop de cholestérol, du diabète, des gastrites, de l'aérophagie, de la spasmophilie, de la constipation, des colites, et dériver, au pire, en problèmes hépatiques.

– **Système lymphatique :** la lymphe est le véritable milieu intérieur dans lequel baignent nos cellules. C'est un liquide intermédiaire entre le sang et les constituants cellulaires. Elle renferme des lymphocytes provenant des ganglions lymphatiques et un plasma qui, dans l'intestin grêle, se charge des graisses de la digestion. Son rôle est prépondérant pour l'équilibre des tissus conjonctifs et la nutrition générale de l'organisme. Son bon état induit tonus et vivacité, **force de vie ;** sa surcharge, toujours liée à l'alimentation et au système gastro-entérologique, se transforme directement en problèmes hépatiques plus ou moins aggravés. Le système lymphatique est tout particulièrement sensible chez le Cancer.

– **Psychisme :** émotif, affectif, susceptible et se disant d'une fragilité psychologique surtout due à un manque de capacité réactive, le Cancer est aussi très sensible à des **influences plus ou moins nettes de son inconscient** et de son environnement, immédiat ou cosmique. La mouvance du psychisme ne présente bien sûr pas que des désavantages, mais il faut se méfier des affabulations, transformations et fantasmagories qui peuvent fragiliser l'esprit et obscurcir la conscience. Les fragilités psychologiques sont réelles et peuvent aller, devant une blessure vraie ou vécue comme telle, de l'**apathie** à la **dépressivité chronique.** Lucidité et prise de conscience sont toujours bonnes à rappeler pour les natifs. Jouer au fantôme est passionnant, jusqu'au jour où ceux-ci se mettent à exister à l'insu de la conscience et deviennent mortifères…

On n'oubliera pas de considérer les problèmes du signe complémentaire, le Capricorne, qui accentue les fragilités gastro-entérologiques et rénales en y ajoutant celles des tissus conjonctifs, de la peau, des articulations, de la colonne vertébrale et du pancréas.

✿

De plus, on considérera – comme pour tous les signes – les Cancers **en excès d'énergie,** plutôt emphatiques, dilatés, en « faisant trop » dans tous leurs actes quotidiens, bons vivants et maternants avec tout le monde. Ils se montrent bizarrement durs, autoritaires et coléreux, affirment ne rien craindre et adorent l'obscurité et la nuit. L'excitation les prend parfois, provoquant le sentiment d'être persécuté et oppressé, et ils passent des larmes à la mélancolie sans crier gare. Ceux-là souffrent d'engorgements d'énergie qui se stocke en surplus, avec des palpitations, des crises cardio-vasculaires et néphrétiques.

Les Cancers **en insuffisance d'énergie** sont, au contraire, timorés, chagrins, insécurisés, trop gros ou trop maigres et en proie à une indifférence apathique, une névrose d'autoprotection permanente accentuée par un faible niveau de conscience. Ils attendent tout de l'amour et en souffrent forcément. Le noir les panique et les fantômes sont présents. Fatigue et insomnie chroniques les guettent, l'atonie sexuelle, les douleurs d'oreilles ainsi que les problèmes circulatoires et alimentaires deviennent des symptômes. Dépendants et superstitieux, on se demande si un souffle de vent ne les emporterait pas… N'oublions pourtant jamais, que suivant les cas et les périodes, on peut passer d'un état d'excès à un état d'insuffisance.

b) Conseils pour un meilleur équilibre

Le mot clé de la santé Cancer : **s'ouvrir.** A travers toutes les correspondances énergétiques, l'accent est mis sur la nécessité de ne pas se renfermer et d'aller vers l'extérieur, tant sur le plan psychologique et relationnel, que sur le plan émotif et psychique. Le monde est grand, et ce n'est pas en restant dans un écrin à ressasser souvenirs et ressentiments que l'on se préserve puisque, au contraire, tous les déséquilibres – et au pire les maladies – découlent du fait de n'**oser vivre.** N'exagérons pas cependant : les Cancers aiment la vie et les amis, ils ont le goût de la fantaisie et du partage du cœur une fois qu'ils ont confiance en la personne choisie. Les vrais problèmes se posent tant qu'ils n'ont pas **définitivement choisi le camp des adultes :** la nécessité de devenir autonome, la prise de conscience et le détachement des origines ancestrales qui en découle, sont tout le temps rappelés, sans doute pas par hasard…

N. B. : nous ne pouvons donner ici que des conseils généraux, difficiles à individualiser avec plus de précision tant que l'on s'en tient au seul signe solaire. Seule une consultation astrologique globale, **tenant compte du thème complet,** peut apporter plus de précision sur les dynamiques de fonctionnement particulières, sur les circulations énergétiques – équilibrées ou perturbées – de chacun.

D'autre part, un traitement personnalisé requiert la compétence et la prescription d'un médecin – généraliste, spécialiste ou pratiquant les médecines douces – qui tienne compte d'une juste combinaison de la médecine allopathique, des médecines alternatives et des thérapies énergétiques. L'astrologie représente un outil complémentaire d'étude d'un terrain, *pour confirmer ou infirmer un diagnostic,* mais elle ne peut en aucun cas se substituer au thérapeute compétent. En ce sens, nous vous laissons bien entendu le libre choix de votre médecin qui, seul, pourra vous orienter vers des traitements et des soins adaptés.

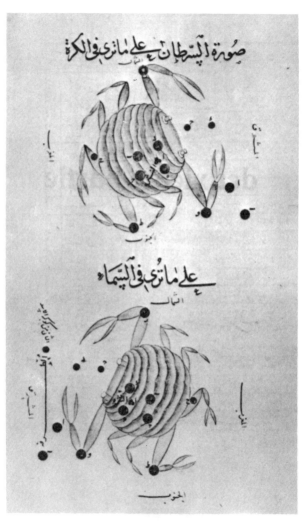

Le Cancer, extrait du *Catalogue des étoiles* de Abd al-Rahman al Sufi.

(Manuscrit arabe du XVᵉ siècle.)

V

Amours et amitiés

1. Les pièges de la tendresse

Toute la vie du Cancer tourne autour de l'affectivité, et on ne l'atteint véritablement qu'**en lui parlant le langage du cœur.** Le partage, la compréhension, l'intimité et les longues heures passées à deux, constituent son univers préféré. La charge n'est pas véritablement sexuelle ou, du moins, elle est teintée de **sentimentalité** et de **romantisme** avant tout. Câlins, bisous, ronrons tendres sur l'oreiller, main dans la main au fil des rues, proximité de tous les instants de la journée et de la nuit… autant de descriptifs de ce que vie affective épanouie signifie pour ces natifs. Avec, en prime, le désir de partager tout cela avec les proches, les amis, la famille et surtout avec les enfants.

L'enfance et le goût de la maison font partie intégrante du paysage. En leur absence, quelque chose de fondamental manque au Cancer. L'adulte du Cancer, s'il est mature, n'est jamais longtemps satisfait de la relation dyade qu'il aime au départ entretenir avec son partenaire : arrive vite le moment où il souhaitera une descendance. **L'amour pour lui a un sens simple : celui de la naissance et de l'éducation des petits.**

Romantique, le signe n'en est pas moins romanesque. Princesses et chevaliers servent de modèles, courtoisie et platonisme pèsent d'un poids certain dans leur esprit, surtout que le sens moral ne leur manque pas. Ils ne sont pas du genre à multiplier les rencontres et les aventures qui assèchent leur cœur plutôt qu'elles ne les rassurent. Ils ne sont pas non plus du genre – hommes comme femmes – à aller commettre mille infidélités en dehors du foyer conjugal. Ils préféreront même peiner avec leur conjoint, longtemps, avant d'oser envisager qu'éventuellement ils pourraient peut-être avoir… cent mille très bonnes raisons de le quitter ! Le pire est que si on les laissait tomber, ils ne se détacheraient pas pour autant… C'est un aspect masochiste et soumis qui existe toujours un peu dans le caractère cancérien, en particulier chez les hommes. Les femmes n'ont, quant à elles, pas leur pareil pour entretenir la culpabilité chez le partenaire.

A chacun sa manière d'attacher et de s'attacher l'autre, sachant que **l'attachement reste au cœur de leur préoccupation.** Bien sûr, il faut avoir des raisons et un tempérament à supporter cela : certains s'enfuiront avant que l'histoire ne commence… et on les comprend ! Les autres se laisseront couler dans ces relations compliquées et toutes en nuances, où la tendresse, la communion des cœurs et la fidélité sont entières, mais où l'enfermement à deux, **les rapports dominant-dominé** et les chantages psychologiques et affectifs plus ou moins clairement affirmés constituent la base essentielle. Il en est ainsi lorsque l'amour est

♋ CANCER.

considéré comme principal **garant de sécurité.** La réaction première est de se dire : *« Mais qui donc oserait faire du mal à l'adorable Cancer, si attentif et si patient ? »* et pourtant, le vécu des natifs se charge de prouver le contraire…

2. Les relations avec les autres signes

Cancer/Bélier

Logiquement, ils devraient se fuir au premier regard, mais ce n'est pas une relation très logique. Ce serait plutôt une relation sensitive et émotive, avec une force d'attraction qui unit les partenaires. L'énergie du Bélier ramène le Cancer sur la terre ferme, parfois même trop brutalement. Le Cancer paraît magique et onirique au Bélier qui le prend vite pour sa part de rêve, frêle et inaccessible. Au mieux, ils arrivent à s'émerveiller et à se rééquilibrer l'un l'autre, ce qui n'est déjà pas si mal.

Si la femme est Cancer, c'est mieux : cela donnera à l'homme Bélier l'occasion d'incarner Bayard même si, en matière de protection, il risque de découvrir que la force d'inertie et d'autoprotection cancérienne est particulièrement bien au point. Pour des raisons d'ordre subtil, qui échappent au Bélier et lui font mal à la tête, leurs jeux peuvent se limiter à la couche superficielle : en fait, ils ne partageront jamais la même conception du cœur.

Cancer/Taureau

Il n'y a pas mieux pour les joies familiales, le partage des cœurs avec enfants, gâteaux, mamours et tendresse à longueur de temps. Nous sommes en plein suraffectif exacerbé et revendiqué. Ils se comprennent du bout des cils, se sentent du bout des pores, se complètent merveilleusement et pourraient rester dans leur univers clos toute leur vie durant. Le problème apparaît alors, car l'asphyxie pourrait bien être du rendez-vous. A force de compter l'un sur l'autre pour colmater leurs vides affectifs et se prémunir contre toute frustration, ils ne bougent pas assez, et cela autant dans une relation amicale que strictement amoureuse.

C'est le Taureau qui s'ennuie en premier et organise – plus ou moins adroitement – des issues de sortie, de secours (surtout si c'est une femme). Les couples ne fonctionnent vraiment que si l'homme est Taureau. S'il est Cancer, le rapport risque un peu d'être celui du ver de terre devant l'étoile… Pour le reste, la relation reste très favorable sur le plan créatif et imaginatif.

Cancer/Gémeaux

Si c'est pour créer une pièce de théâtre, il n'existe pas meilleure combinaison, mais si c'est pour jouer la vie à deux, ça devient nettement plus délicat ! En effet, les rôles ne sont pas bien départagés, chacun voulant jouer celui de l'enfant.

A défaut de metteur en scène efficace et musclé, en même temps que subtil et léger (pas facile à trouver…), le public n'arrivera jamais à croire à cette histoire. Le pire est que les acteurs eux-mêmes, même s'ils jouissent d'une certaine complicité, ne se sentent pas toujours bien convaincus.

Cancer/Cancer

Ceux-là restent enfermés à double tour dans leur maison, sinon dans leur chambre. De temps à autre, ils pointent le nez dehors pour faire la fête, une fête médiévale de préférence. Leur monde est sans doute merveilleux, ils s'y sentent bien ; les objets sortent de chez l'antiquaire, la décoration est subtile, la musique apaisante, la cuisine délicieuse, les enfants envahissent la moquette moelleuse.

Les enfants ? Les parents en font d'ailleurs partie. De l'intérieur tout semble aller pour le mieux. De

Représentation persane du signe du Cancer.
(Bibliothèque nationale, Paris.)

l'extérieur, la relation dégage une sensation d'étouffe-
ment.

Cancer/Lion

Deux mille ans d'images judéo-chrétiennes et de conventions sociales unissent ce couple. Chacun est à sa place, il n'y a pas de mystère : le masculin actif à l'extérieur, le féminin réceptif à l'intérieur, la parfaite complémentarité yin/yang se fait ici.

Encore faut-il, pour cela, que le Lion soit homme et le Cancer femme et qu'ils ne se posent aucune question sur leur véritable identité. Car une répartition aussi idéalement arbitraire est destinée à s'inverser...

Cancer/Vierge

Médaille d'or du couple soudé, clos et sage. Cela fait les relations longues et sûres ce qui, pour d'autres, s'appellera un piège. Mais il n'est pas obligatoire de faire original et osé pour être heureux : ceux-là aiment les choses simples et claires, recherchent la tranquillité du cœur et de la famille. Quoique, justement, chacun attende, dans son for inconscient, qu'on vienne enfin le secouer. Le Cancer apporte l'affectivité du couple. La Vierge ordonne le quotidien en décidant le maximum de choses à l'avance.

Le Cancer n'est pas très satisfait, mais risque fort de se complaire dans une relation dominant/dominé. La Vierge aussi. Ces deux signes sont ceux de l'alimentation, mais leur point de vue opposé sur la question en dit long sur leurs dissensions de fond. Mais enfin, tous deux aiment les choses qui tournent rond... au risque de les voir indéfiniment tourner en rond.

Cancer/Balance

Les besoins profonds se croisent. Le Cancer ne parvient pas à rassurer la Balance. La Balance ne fera jamais rêver le Cancer. Drôle de méprise !

Le Cancer intrigue la Balance et la Balance le ramène dans la réalité sociale. Le trouble s'installe, avec un terrain commun tout de même : celui de l'art et des amis.

Cancer/Scorpion

Relation tout droit sortie des profondeurs de l'inconscient et basée sur ce qui fonde l'immuabilité de la nature humaine. Mais sortent-ils vraiment des profondeurs, d'ailleurs ? Pas sûr, car ils partagent le même goût pour la magie, l'émerveillement, le sublime et surtout pour la souffrance amoureuse romantique et passionnelle… Le Scorpion tourne autour du Cancer pour trouver la faille et le Cancer adore ça : en voilà un, enfin, avec lequel il se sent vivre ! Cela a des relents de fête satanique et baroque et met en branle tout un univers sulfureux.

Les ondes créatives, chaleureuses et très véritablement complices sont cependant indéniables, car ils sont vraiment du même monde. Attention au sado-masochisme psychologique qui, lui aussi, fait partie du décor.

Cancer/Sagittaire

Plus incompatibles, tu meurs !… du moins en apparence. Ils se terrorisent mutuellement : pour le Cancer, le Sagittaire personnifie l'insécurité et la frustration ; pour le Sagittaire, le Cancer incarne la prison et démultiplie toutes ses tendances à la fuite et à l'esquive.

Pourtant, s'ils parviennent à se rapprocher, ils s'aperçoivent que leurs préoccupations profondes sont identiques : comment être ici en étant ailleurs, comment avoir la sécurité de la maison sans en avoir la gestion, comment bien éduquer ses enfants et construire une famille sans y abandonner sa personnalité et sa dimension propre ?… A force, ils peuvent vraiment – et miraculeusement – s'apporter de solides réponses mutuelles. C'est une relation alchimique de l'âge mûr.

Cancer/Capricorne

Chacun est pour l'autre un miroir et lui permet de mieux se regarder en face. Cela provoque le meilleur – ou le pire – des agacements. La complémentarité devrait pourtant l'emporter, à condition que le Cancer suive. Il s'agit d'en profiter tant qu'il est encore temps.

Le Capricorne est touché par les mamours et la grâce cancérienne, le Cancer adore la sincérité et la fiabilité sentimentales du Capricorne. Leurs amis, leur famille, leurs patrons, leurs enfants se sentent en terrain stable. Mais eux, de temps en temps, s'ennuient car personne ne sait vraiment faire évoluer l'autre.

Cancer/Verseau

Bizarre, je dis bizarre… Enfance et naïveté, poésie et rêve, chassés-croisés, jeux, impairs et passe. Une totale incompréhension sentimentale surtout que, si le Cancer peut un temps accepter de souffrir en silence et s'engager dans une insécurité totale et un rien perverse, le Verseau ne se laissera jamais embobiner dans les besoins affectifs cancériens. Quitte à se volatiliser dans l'espace où le Cancer ne le suivra jamais.

Si la femme est Cancer, elle peut avoir un côté princesse inaccessible qui, alors, motive le Verseau ; si elle est maternante, elle aimera être aux petits soins pour lui dans les rares moments où ce petit prince daignera revenir sur terre... le temps d'un souffle.

Cancer/Poissons

Sans nul doute, leurs psychismes communient et ils n'ont même pas besoin de parler pour partager le même univers intérieur ainsi qu'une perception intuitive du monde, fluide, invisible, magique et éternelle. Le corps est un vecteur pour leur âme et ils partageront le même goût pour de subtils jeux sensuels. Finalement, c'est une relation médiumnique – fondée de toute éternité – comme il en existe rarement.

Mais... le Cancer vit sur terre, même s'il est dans les profondeurs insondables de l'océan. Le Poissons n'a de patrie que l'immensité du cosmique. Il y a méprise sur la dimension des choses et sur la notion de liberté. Le Poissons est bien content de retrouver la sécurité du Cancer quand il en a besoin, mais il s'en va sans mot dire vers l'infini qui reste sa seule « famille ». Définitivement terrifiant pour le Cancer qui y perd son latin, car comment suivre l'Ineffable lorsqu'on n'a ni ailes ni nageoires ? Fluctuant, magique et glissant, voilà le décor...

La Lune et ses métiers.
(Gravure sur bois de Hans Sebald Beham, 1535.)

VI

Vie professionnelle et sociale

1. Lenteur, homogénéité et fidélité

« Lentement mais sûrement. » Ce dicton populaire, qui semble taillé sur mesure pour la carapace du Cancer dans tous les domaines de sa vie, l'est encore plus justement sur le plan professionnel et social.

Tout d'abord, parce que les natifs ont généralement une envie urgente de retarder au maximum – et au moyen de stratagèmes divers – leur entrée dans la vie professionnelle et d'exercer activement des responsabilités au sein de la structure socioculturelle à laquelle ils appartiennent. Ils commencent par rêver et imaginer leur vie adulte, en peaufinant les moindres détails, afin de réduire au maximum les risques inhérents à la bataille socio-économique qui s'offre à eux. Tout au contraire d'un Bélier (qui va d'abord agir et ensuite faire le point), d'un Verseau (qui multipliera les expériences et changera mille fois de milieu sans problème afin de choisir, sans se fixer, le « moins pire » parmi ce qui l'intéresse), ou d'un Sagittaire (qui tentera de cumuler au mieux toutes les activités complémentaires qui le passionnent et se développent les unes grâce aux autres), le Cancer – proche de la Vierge – va essayer de **délimiter très étroitement son champ d'action et d'investigation et s'y spécialiser en en optimisant, tant que faire se peut, les capacités d'exploitation.**

Il est vrai que, s'il lui faut du temps pour choisir sa voie – tant il veut être sûr que c'est la bonne et tant il veut minimiser les risques (sachant que sa capacité à se retourner est limitée) – il lui en faut encore plus pour assimiler tous les aspects du milieu et des gens qui s'y trouvent. Là où un Lion va, en un an, faire le tour d'un emploi et y apprendre tout ce qui lui est nécessaire pour monter d'un (ou plutôt dix) crans, le Cancer mettra dix ans mais fera le tour des coins, recoins, aspects et sous-aspects de la question et voudra connaître toute l'échelle du personnel d'une entreprise avant de penser à évoluer.

L'ambition n'est d'ailleurs pas sa caractéristique première, du moins pas dans le sens habituellement donné à ce terme. La sienne est moins de l'ordre de l'expansion que de l'ordre de l'**approfondissement.** De plus, l'autorité et le pouvoir ne le concernent pas beaucoup ; quant à l'indépendance, elle le terrorise ! Au fond, son ambition majeure est de **travailler en famille.** Les sociétés paternalistes, avec leurs bons et leurs mauvais côtés, obtiennent caricaturalement son adhésion. S'entendre, connaître, se sentir, travailler, **s'aimer en somme** (avec ses collègues comme avec les membres de sa famille), est à peu près le seul moyen qui lui permette de fournir le meilleur de lui-même, et de prendre alors sa véritable ampleur. C'est une notion qui est rejetée par la plupart, surtout à la fin de ce siècle tourné vers l'anéantissement des frontières.

Et il est vrai que dans le domaine socioprofessionnel, *« on est là pour travailler, pas pour bien s'aimer »*... D'ordinaire, les chasseurs de tête et les directeurs du personnel éliminent violemment ceux pour qui « être aimé » est la principale stimulation ; et pourtant, la sécurité affective et la confiance entre les

La Papesse et la Lune, lames du tarot de Marseille analogiques au signe du Cancer.

être demeurent des facteurs de développement et de perfectionnisme. Ce sont en tout cas les critères clefs du Cancer au travail. Quitte à rester au second plan (ce qu'il préfère), il va tout faire pour se rendre définitivement indispensable, **organiser, réguler, gérer et économiser** au mieux les investissements et les efforts, grâce à son fin **esprit de recyclage comme de synthèse,** de **perfectionnisme** et de **long terme.** Grâce, aussi, à son **sens inné de la psychologie humaine et de la gestion des rapports humains,** autant qu'à son **étonnante intuition.** C'est l'adjoint parfait pour rattraper les pots cassés, réduire les déperditions de tout ordre, gérer le temps et l'espace, assurer tout l'arrière-plan du quotidien d'une maison. Son rapport lunaire avec le public et le groupe lui donne aussi des capacités, surtout avec la maturité, à **homogénéiser, ordonner et diriger les groupes,** assurer la **cohérence des équipes** et du travail de chacun de façon à ce que ne soit pas perturbé l'ensemble. Le « chacun pour soi » lui fait peur et il mobilise son énergie pour **éviter toute coupure,** toute cassure, tout clash et toute dispute qu'il ne saurait plus gérer. Alors, à force de s'accrocher – sauf s'il est un artiste d'un type cancérien à part – il devient un maillon inévitable et constructif d'un tout qu'on n'envisagerait plus sans lui. Comme la mère nourricière qui, au cœur du foyer, en assure l'harmonie…

Au négatif évidemment, il échouera par **manque d'audace et d'initiative,** par désir excessif de délimitation et de spécialisation, par incapacité à accepter et à rebondir sur la nouveauté, par perméabilité et dépendance affective, passéisme et dévouement aveugles, matérialisme, caprice ou bouderie, susceptibilité et lenteur… Mais bon, toutes les médailles ont leur revers et il s'agit alors de ne pas choisir les milieux professionnels qui mépriseront ses qualités.

2. Les métiers du Cancer

On ne s'étonnera pas de trouver **beaucoup de fonctionnaires ou personnages publics,** parce que l'Etat est d'abord la plus grande des familles, la sécurité maximum (?), et que le sens des relations humaines du Cancer y est requis.

– **Enfance** et **éducation :** les affinités traditionnelles du Cancer pour le monde de l'enfance et son désir d'éduquer les enfants (les siens et ceux des autres) se retrouvent souvent, plutôt dans le paramaternel (crèches, haltes-garderies, puériculture, éducatrices, assistantes maternelles, maîtresses…) et le primaire (de l'institutrice à la bibliothécaire, centres aérés, colonies…) qu'au collège et à l'université.

– **Social** et **humanitaire :** dévouement pour le bien d'autrui, compréhension et chaleur sont parmi les grandes qualités du Cancer. On le trouvera partout à essayer de soulager les maux des humains : orpheli-

Le Cancer et sa maîtrise sur les ports et les mers.
(Relief d'Agostino di Duccio ; Tempio Malatestiano, Rimini.)

nats, actions humanitaires, assistance sociale, associations caritatives, centres d'adoption, S.O.S. Alcool ou Drogue, Sans Logis ou A.N.P.E... un petit Cancer y veille et s'émeut.

– **Paramédical :** on y trouve pas mal de pédiatres, mais surtout beaucoup d'infirmiers, de secouristes, personnel hospitalier et de maisons spécialisées...

– **Alimentation :** eh bien, c'est clair, les Cancers aiment autant manger que nourrir ! De la cantinière au restaurateur classé au *Gault et Millau,* métiers de l'hôtellerie, salons de thé-librairies bien douillets, confiserie, boulangerie, pâtisserie…

– **Immobilier** et **décoration :** tous les métiers de l'immobilier (sauf, peut-être, ceux du bâtiment), agences, rénovation de vieilles demeures, agencement, décoration intérieure, architecture sacrée et religieuse, design, tissus, tentures et passementerie…

– **Histoire de l'art** et **antiquariat :** alors là, LE métier Cancer par excellence. Les antiquités de toute époque, qui cumulent plusieurs de ses passions : le passé, la décoration, la restauration de chefs-d'œuvre, l'art, l'immobilier et le mobilier, les étoffes et les broderies, le confort et le goût des formes, le contact avec un public spécialisé…

– **Arts appliqués :** les arts déco et les arts appliqués dans toutes leurs formes : accessoires, vaisselle-rie, literie, mode, photo, mannequins, mais aussi créatifs d'agence de pub, graphistes, illustrateurs… tout ce qui va leur permettre d'utiliser et de rendre utilisable leur bouillonnant imaginaire, leur sens du beau et leur sensibilité à travers des images et des formes destinées au public.

– **Ecriture** et **peinture :** créer un monde, l'exprimer, laisser aller son goût des contes et des histoires, son sens poétique et, en même temps, être protégé dans l'espace clos de la création solitaire hantée de « fantôme », explique que l'on trouve pas mal d'*écrivains* et d'*auteurs de théâtre* célèbres dans le signe : Proust, Cocteau, Nathalie

L'influence de la Lune dans le tarot de Charles VI.

Sarraute, Pompidou (poète et amateur d'art plus qu'homme politique ?), George Sand, J.-J. Rousseau, La Fontaine, Kafka, Hemingway, Anouilh… Ainsi que, en raison de leur sensibilité, de leur imagination et de leur désir d'autoprotection (jusqu'à l'enfermement maladif), de grands peintres : De Chirico, Bernard Buffet, Marc Chagall, Corot, Rembrandt, Rubens, Modigliani…

– **Théâtre** et **chorégraphie** : jeux, masques, décors, opéras, acteurs et metteurs en scène, la vie transposée et métamorphosée, les liens du Cancer avec tous les métiers du théâtre et du cinéma, mais aussi avec la danse, surtout du côté du chorégraphe, sont très forts et très naturels.

– **Arts divinatoires** : c'est l'aspect médiumnique, intuitif, la finesse psychologique en même temps que le goût marqué du signe pour l'occultisme et la superstition qui se retrouvent là. Même s'ils n'exercent pas régulièrement, les Cancers adorent les cartes, le tarot, le spiritisme, l'astrologie et sont toujours prêts à entendre des « messages ». Il arrive néanmoins que quelques-uns parviennent quand même à faire la distinction entre ces domaines et la foi, témoin d'une religion solaire et monothéiste, mais ils préfèrent trop souvent croire au « surnaturel », jusqu'à raison perdre…

– Les **affaires publiques** : le domaine politique est toujours très marqué, de par le contact inné du Cancer avec la famille absolue qu'est « le bon peuple ». Il s'agit là, en fait, plus d'une Lune dominante dans un thème que du seul signe du Cancer. Chez tous les grands hommes politiques, comme chez tous les artistes ou personnages publics célèbres, la Lune est dominante, comme pour de Gaulle, Mitterrand, Chirac, mais aussi Joséphine de Beauharnais ou Mazarin, sans citer les acteurs…

La face cachée de la Lune. Le satellite de la Terre tourne
sur lui-même en présentant toujours le même côté.
La face cachée de la Lune, objet de fantasmes divers,
ne peut être observée que par satellite.

(© J.P.L. / photo Ciel et espace, Paris.)

VII

L'enfant Cancer

1. Vulnérabilité, profondeur et sensibilité

« *Je veux grandir... juste un p'tit peu...* » Voilà clairement décrit l'état d'esprit général du petit Cancer tout au long de son enfance, qu'il tendra d'ailleurs à prolonger tant que faire se peut. Les parents n'auront pas été sans remarquer que leur enfant **ne se projette pas facilement dans le futur** et qu'il rêve, au contraire, de ne pas grandir trop brutalement. Lui rappeler que la vie est une inexorable progression qui aboutit à quitter ses parents pour vivre autonome, le ferait d'emblée plonger dans une régression organisée. Le plus tard sera le mieux ; le petit Cancer met longtemps à se sentir assez fort pour affronter le monde extérieur.

Heureux d'être protégé par sa mère et sa famille, il voudrait que ce cercle initial reste tel quel toute sa vie durant. Etre nourri, dorloté, représenter le centre de l'univers parental, quoi de mieux au monde ? Il ne voit pas d'avantages à s'en détacher et, plus tard, s'en souviendra avec nostalgie. Enfant, il n'a pas encore de « carapace », moins en tout cas que beaucoup de ces copains de maternelle. Il se sent « nu comme un ver » et ne conçoit de refuge et de protection que ceux pouvant lui venir de l'extérieur. **Il lui faut du temps, beaucoup de temps,** du temps pour tout : pour le sommeil, le sevrage, la marche, la parole, la socialisation. Gare aux mamans de Feu ou d'Air qui pourraient s'en impatienter : le houspiller, c'est prolonger d'autant les délais. En grandissant, il se forge pourtant une armure coriace et organise ses moyens d'auto-défense sous une coquille étanche. Et là, bien malin celui qui viendra l'en déloger.

Là aussi, le lui reprocher c'est renforcer encore les verrous. *« Ouf ! et comment faire ? »* se diront les parents, attendris par ce petit être plein de **douceur,** de **tendresse,** de **sensibilité** et d'**imagination,** adorable avec tout le monde et capable de passer des heures tout seul dans sa chambre (son antre), à jouer dans son univers intime et inviolable. Il ne fait même pas tellement de bêtises, est calme et profond, sérieux même, parce qu'on sent bien que son esprit est traversé par des convictions précises et qu'il est telle l'éponge qui ramasse mille impressions que son **intuition** lui permet de développer. Il pleure souvent avec une vraie **tendance à la « pleurnicherie »,** soit qu'il soit touché par une image brutale ou un mot déplacé, soit qu'il ait pensé à quelque chose d'insupportable à ses yeux, soit encore qu'il y trouve un stratagème pour se faire dorloter et se faire « tout passer »… Ses réactions n'ont pas encore le recul et le retard qu'elles prendront par la suite et, vite touché au cœur, il restitue aussitôt son émotion, intacte et amplifiée… sinon **complètement dramatisée par son imaginaire virulent.** Le parent – surtout la maman – se rend compte à quel point il est fragile et combien il faut l'entourer. Sur le modèle de la dyade, la relation fusionnelle et interdépendante peut longtemps se prolonger.

Cyclothymique, lunatique, passant de l'inertie à l'action passionnée, de la câlinerie à la bouderie, de la gaieté frivole à la tristesse froide et agressive, au mieux le petit Cancer « suit » ses frères et sœurs et se laisse entraîner par eux ou, au pire, s'en plaint sans cesse, prétextant qu'ils sont « méchants », pour rester le plus souvent possible dans les jupes ou pantalons de ses parents, entretenant souvent une relation complice avec les grands-parents qui ont plus de temps à lui accorder et qui s'apitoient plus volontiers. Si l'on ne répond pas à toutes ces fluctuations d'âme, **l'angoisse risque de le gagner** et de s'installer en toile de fond. Le confronter trop souvent à la rigidité des réalités quotidiennes, matérielles et contraignantes, c'est à coup sûr s'amuser à le faire pleurer… Il en garderait du ressentiment et un immuable tempérament régressif.

Sa fixation sur l'image maternelle a beaucoup été répétée dans les pages précédentes, mais trouve ici une illustration encore plus appropriée ; la qualité et les formes des contacts extérieurs du Cancer seront totalement déterminées par cette relation : il aimera comme elle a aimé, verra qui elle a vu, jugera et pensera comme elle, car tout est mieux que de la remettre en question ou, pire, d'oser l'affronter. C'est pourquoi il est nécessaire de trouver la bonne dose entre les démonstrations affectives intempestives qui l'étouffent définitivement, et l'indifférence qui ne peut que le déstabiliser plus encore. Pour les mères qui rêvent d'être adulées par leur enfant, un petit Cancer est tout indiqué ; mais c'est lui rendre là un fier mauvais service…

2. « Mais oui on t'aime ! »

Ni trop molle, ni trop rigide, présente mais pas étouffante, rassurante mais dynamisante… et quoi d'autre ? Même le parent le plus conscient ne peut sans cesse être en train de se surveiller pour ne pas commettre d'impair que, de toutes les manières, il commettra un jour ou l'autre. Comme le disait Freud, pour bien nous rassurer d'emblée : « *Il n'y a que de mauvaises mères* »... Et pourtant, il faut bien trouver une solution, car **l'éducation du petit Cancer est déterminante** pour son épanouissement et son autonomie futurs.

Il s'agit avant tout de le solidifier, de le rendre un peu moins vulnérable et susceptible qu'il ne l'est, afin de lui éviter d'être plus tard atteint par tout ce que la vie saura lui faire traverser. Il s'agit de ne pas trop donner prise aux embourbements affectifs que la richesse de son inconscient compliqué et prolixe ne peut qu'augmenter. Il s'agit de lui faire saisir qu'il fait les choses pour lui, par lui, et non pas dans le seul et unique but d'être aimé. Il a peur de la vie, de l'extérieur, des étrangers, des changements, de l'inconnu... de tout ce qui fait que l'on existe en tant qu'individu accompli. Eh bien, oui, mais les autres ne sont pas là pour l'aimer et lui-même n'est pas obligé d'aimer tout le monde !

Faire découvrir d'autres critères au petit Cancer, c'est lui rendre un service absolument vital. Sans quoi, à l'école, avec ses amis, chez le banquier, à la boulangerie, à son bureau... sans parler de ses amours, il réagira et agira, fera dépendre sa vie entière du fait « qu'on l'aime ou pas ». Son monde se départagera en deux catégories opposées : *ceux qui l'aiment* et *ceux qui ne l'aiment pas* (ou plus, ou pas encore...), et à vivre ainsi il passerait à côté de tout ce que ses qualités créatrices, imaginatives, audacieuses, ludiques et intuitives ont pourtant toutes les raisons de lui faire découvrir. C'est pourquoi l'étape scolaire et relationnelle est importante, car **rien de tel que l'expérience** pour guérir petit Cancer de son imagination fantasmagorique qui lui fait systématiquement penser, avant de l'avoir vécu, que ce qui vient ne peut être que pire que

Parfaite image de la fécondité et de la fertilité à travers la réunion de tous les éléments nécessaires à la naissance de la vie. (Détail du bas-relief « Ara Pacis », autel de la paix ; Villa Albani, Rome.)

ce qui fut. La phrase bien connue : « *On sait ce qu'on quitte, on ne sait pas ce qu'on trouve* » a forcément été prononcée par un Cancer (ou un Capricorne) ! Or, quoi qu'il se passe et quoi qu'en pense l'enfant, il va falloir s'éduquer et se forger pour découvrir l'inconnu. Marcel Proust lui-même, n'a-t-il pas écrit, à propos de sa célèbre série : « *Et dire que j'ai passé mes plus belles années dans l'ombre d'une histoire qui n'existait plus...* »

Quand on se réveille, il est trop tard : « *... passe le temps, il n'y en a plus pour très longtemps...* » comme chantait Moustaki ; aussi, poussez votre enfant à faire des expériences en étant là pour colmater ses blessures et **les lui faire analyser autrement.** Petit à petit, il deviendra moins petit et se rassurera. Sans pour cela sonner le clairon tous les matins, pensez que les parents des Cancers ont **une vraie responsabilité d'éveil, sinon de réveil...**

3. Les principes de sa santé

Sous son apparence fragile et ses bobos répétés, il est en général assez résistant. Ses conflits intérieurs et ses fluctuations émotives se traduisent dans les fragilités traditionnelles qui sont les siennes : **le système épigastrique, les bronches, le système O.R.L. et l'estomac.** Il faut surveiller son alimentation cyclique, son goût averti pour les sucres et les laitages, les féculents et les choses qui calent, d'autant qu'il n'aime pas bouger et se dépense naturellement peu. Au contraire, il stocke et il faudra lui apprendre à mâcher lentement pour profiter des aliments plutôt qu'à « s'empiffrer » en vrai glouton, ce qui ne manquera pas de se ressentir à l'adolescence.

Il a aussi besoin de dormir beaucoup et dans le calme, et toutes ses contrariétés disparaissent généralement dans la récupération psychique que lui apporte le rêve (1). Sinon, il est préoccupé par sa santé et tout ce qui ne lui convient pas se transforme en allergies sinon en vomissements. La digestion risque d'être toujours problématique. Clin d'œil pour l'homéopathe : il a besoin d'iode, de fluor et de calcium.

Et aussi de sport… et pourtant que de mal à l'entraîner dans les activités ! Il ne faut justement pas lui imposer des épreuves qui achèveront de le dégoûter et le feront rester dans sa paresse naturelle. Il aime l'eau, son élément par excellence ; alors profitez-en pour lui faire pratiquer la natation, la pêche, la plongée, la planche à voile, le surf… qui sauront aussi le calmer. S'il évite d'avaler le paquet de gâteaux après chaque séance, c'est encore mieux !

----

1. Voir, de Pierre Fluchaire : *Bien dormir pour mieux vivre* (Editions Dangles).

Les petits Cancers aiment beaucoup le théâtre, l'univers des masques et des costumes, toutes les activités de scène, la danse en particulier. Au rang des activités d'éveil, la musique, le dessin et la peinture tiendront une place de choix, ainsi que tout ce qui lui fait découvrir l'habileté de ses doigts. Il serait bien, s'il le veut, qu'il pratique aussi un sport de combat et de self-défense qui ne pourra que le stimuler et lui éviter de couver son agressivité jusqu'à en faire… une boulimie, un bouton ou une indigestion !

4. Les enjeux de chaque âge

✧ *DE 0 A 1 MOIS : AGE LUNAIRE*

Age important pendant lequel l'enfant n'a pas conscience d'exister en dehors de l'enveloppe matricielle et vit encore au rythme utérin, surtout pendant les trois premières semaines de sa vie (âge néonatal). Pour l'enfant Cancer, cette période est véritablement la sienne, cet âge étant analogiquement celui de son signe. Téter, dormir… puis téter, dormir, ce rythme semble, pour ces enfants-là, encore plus naturel. On ne l'entend pas ou peu ; il semble calme, serein, tranquille à partir du moment où il est repu, pas prêt de rester éveillé trop longtemps. Il est de ceux dont on dit qu'il faut les réveiller pour les faire téter et qui ne pleurent que peu… ce qui va bien changer. Il va sans dire que si l'on peut allaiter les petits Cancers, ils en garderont une reconnaissance éternelle…

✧ *DE 1 A 3 MOIS : AGE MERCURIEN*

C'est un stade d'évolution par rapport au stade réflexif précédent. Les premiers facteurs qui témoignent de son besoin de contact avec l'extérieur sont la musique et les formes au-dessus de lui. Prenez votre temps avec le petit Cancer, nul besoin de le stimuler

trop tôt. D'ailleurs il dort toujours autant, mais aime
bien les musiques très douces lorsque, par hasard, il se
réveille.

✧ *DE 4 A 8 MOIS : AGE VENUSIEN*

Sensuels et sensitifs, les petits Cancers aiment
beaucoup les câlins et les jeux de peaux. Ce stade de
maturation par prise de conscience de leur propre
corps et par la découverte des mains et du toucher est,
pour eux, très appréciable. Vous pouvez les stimuler
facilement dans ce sens, sachant que la meilleure
texture qui soit, c'est celle de la peau de maman puis
celle, tiède, de la purée au lait…

✧ *8 MOIS : L'ANGOISSE DE LA SOLITUDE*

Etape d'individualisation essentielle et inévitable
pendant laquelle l'enfant découvre que sa mère existe
même en dehors de lui, ce qui signifie qu'il est un
individu solitaire. Tous les parents savent aujourd'hui
que cette étape est primordiale et on l'applique dans
les crèches et les lieux paramaternels en ne prenant
pas les enfants qui n'y ont pas été intégrés avant.

Etape dure pour le Cancer, qu'il faut protéger
encore plus à ce stade. La confiance qu'il va établir
avec le monde extérieur – qui apparaît à ce stade dans
toute l'ampleur de son agressivité mortifère – va beaucoup en dépendre. Franchement, moins on le laisse
seul ou en présence d'inconnus, et moins on le prépare
à s'enfermer dans sa coquille.

✧ *DE 8 A 18 MOIS : AGE SOLAIRE*

Prise de conscience par l'enfant de son image et de
sa légitimité à exister tel quel (âge « du miroir »). Il a
besoin de papa pour lui dire – implicitement – qu'il
est *« beau et fort, et qu'il peut marcher droit tout
seul »*. Du coup, il se met debout et fait ses premiers

pas... Si ce stade est perturbé, si l'image paternelle est ternie, les fragilités affectives et le besoin – maladif – de reconnaissance n'en seront que plus accentués.

S'il ne pleurait pas avant, maintenant, c'est sûr, le Cancer a toutes les raisons de se plaindre. Son papa a intérêt à venir à lui « avec des pincettes » car il n'est pas prêt à quitter comme ça l'univers et le modèle maternels. De plus, sa motivation pour le monde extérieur du père ne l'intéresse que partiellement, et il veut continuer à s'identifier à sa maman. Et puis, ce père est-il vraiment fiable et solide ? Ses valeurs sont-elles les bonnes ? Pas si sûr... Les doutes que le Cancer nourrit à l'encontre du masculin débutent ici.

✧ DE 18 MOIS A 3 ANS : AGE MARTIEN

Il existe et il l'affirme, au besoin en s'opposant, cassant, mesurant ses effets sur l'environnement mais aussi en maîtrisant son corps par l'apprentissage de la propreté. Le petit Cancer ne sera pas à la crèche, ni à la maternelle depuis longtemps, on l'espère pour lui ! Les systèmes de garde en nourrice ou assistante maternelle à domicile lui conviennent mieux. Il aborde d'ailleurs cet âge martien en... martien : en pleurant, en résistant et en manifestant pour la première fois clairement son désir de reculer et de ne pas quitter comme ça son environnement proche. L'extérieur c'est bien, pourvu qu'il vienne à lui, chez lui... Par contre, les contes, les livres, les cassettes, les jeux au bac à sable et la gentille baby-sitter qui chante des chansons, ça oui, quel bonheur tendre à partager avec nounours qui est de toutes les aventures.

✧ DE 3 A 7 ANS : AGE JUPITERIEN

La socialisation et l'apprentissage scolaire débutent là et le Cancer peut y trouver le meilleur comme le pire, suivant la première impression qu'il aura eue

de l'école, des enfants et de la maîtresse, du fait qu'il
se sera senti aimé ou non. Avec une bonne mémoire,
une vraie débrouillardise, un sens raffiné de l'élo-
cution, de la méticulosité et une vraie organisation,
sans parler de l'imagination, le Cancer a toutes les raisons de bien aborder l'école et les études. C'est vraiment une étape très importante qui déterminera s'il
veut faire confiance à l'extérieur ou s'enfermer dans
sa timidité. Stimuler en étant là, voilà le vrai boulot
qui débute pour les parents avertis. Si ça ne va pas, il
ne le dira pas… alors il s'agit d'être en veille et de ne
pas croire que tout se fera « naturellement ».

✧ *L'ADOLESCENCE*

Oh ! là là ! c'est si difficile de savoir où on en est
et de déblayer le terrain intérieur bien encombré du
Cancer, aux prises, d'un coup, avec toutes ses angois-
ses. Car il s'agit bien de sauter, bientôt, dans l'univers
des adultes… le sablier a fini de couler ! La fixation à
l'enfance – et surtout la façon dont il aura vécu les
âges lunaire, solaire et jupitérien – va se voir d'emblée.
Votre Cancer peut aussi bien basculer vers son côté
capricornien, devenir sérieux, appliqué, organisé, stu-
dieux, mais aussi renfermé, mélancolique et timide, ou
bien vouloir à tout prix retarder la maturité par tous
les moyens et cumuler les bêtises pour qu'on le dise
« notoirement immature ». Ou bien balancer entre les
deux attitudes : un jour très sage, le lendemain complètement fantasque et fanfaron. Attention aux jeunes
filles qui passent douloureusement cette période de
changement corporel et qui ont une certaine tendance
au va-et-vient boulimie/anorexie… Mais, pas l'ombre
d'un doute : les parents sont là, là comme le rocher
auquel s'accroche le crabe pendant la marée haute…

Prochaine étape : 28 ans, fin du cycle lunaire… et
peut-être, enfin, celui de la fin de l'enfance ?

VIII

Les parents Cancer

1. Maman Cancer

Nous avons vu que le signe est particulièrement concerné par la maternité sous ses meilleurs et ses pires aspects. Pour les femmes du signe, cela se vit généralement dans le « tout ou rien » et le passage de l'état de jeune fille diaphane à celui de « mama » n'est pas rare, et représente en tout cas un total renversement des données dans lequel le modèle maternel reste néanmoins omniprésent.

Il y a beaucoup de chances pour que les natives aient passé leur enfance fourrées dans les jupes de leur maman (par adhésion ou par opposition), puis que l'adolescence les ait transformées en fines lianes rêveuses, boudeuses, « princesses au petit pois » fascinées et terrorisées par la planète des garçons, ou alors en petites boulottes sympas, espiègles et créatives, dévoreuses de romans et de livres ésotériques. Les problèmes nutritifs sont toujours en toile de fond avec les aller et retour entre l'alimentation zen et les choux à la crème double au beurre et au sucre roux… La Cancer peut aussi bien décider de ne jamais devenir maman pour ne pas perdre la sienne, que d'avoir une dizaine d'enfants et d'en adopter encore quelques-uns. Entre l'univers des collections de poupées de l'enfance qui sert de château pour l'arrivée du prince Charmant-

Rambo, et le passage au statut de maman, il n'y a qu'un pas qu'elle peut longtemps hésiter à franchir. Mais si elle le franchit, c'est fini, elle le devient dans toute la magnificence du terme.

Responsabilité et présence remplacent évanescence et atermoiements. On ne rigole pas avec les enfants, on est là pour les rendre heureux, heureux et encore heureux ! Toute l'obstination du Cancer s'y emploie, parfois avec des méthodes peu acceptables pour les concernés. Enveloppante, attentive, experte en longs câlins devant la télé, elle est présente au pied du lit pour donner le sein ou tamiser la lampe, levée la nuit pour vérifier que l'enfant respire ou qu'il ne s'est pas découvert, prête à chanter, raconter, seconder, envelopper jusqu'à la fin de leurs jours ceux qui sont devenus le centre de sa vie. A la force de son imaginaire fertile, elle est prête à créer un monde fabuleux, mieux que dans les contes les plus beaux. Elle veut laisser à son « à jamais tout petit » la mémoire d'une enfance magique et sécurisante, pas pressée de le propulser dans le fade univers des adultes qu'elle-même a mis tant de temps à rejoindre. C'est d'ailleurs, d'une certaine façon, sa façon personnelle de conserver une part d'enfance…

Fée du logis, maman Cancer l'est vraiment, sachant parfaitement où elle veut en venir. Elle est d'ailleurs heureuse que les Allocations familiales aient enfin pensé au revenu maternel, car elle ne voit pas comment le métier le plus passionnant pourrait remplacer les joies de mener ses enfants sur le droit chemin avec doigté et douceur. Se peut-il qu'elle se rende compte de l'attachement trop grand – sinon trop étouffant – qui se crée ainsi, obligeant les enfants à la quitter violemment s'ils veulent pouvoir respirer en toute autonomie, et qu'elle prenne conscience de la culpabilité

Vierge allaitant
des jumeaux.
(Musée de Syra-
cuse.)

un peu sournoise qui risque de les prendre à la gorge
lorsqu'ils auront légitimement besoin de ne plus
suivre l'exemple de celle qui leur aura abondamment
– et consciencieusement – répété combien elle leur a
« tout sacrifié » ?…

Ce risque existe dans toute son ampleur, d'autant
que sacrifice il y a : il suffit de demander au père ce
qu'il en pense, lui qui a passé tant d'années seul dans
son lit et qui, en plus d'avoir trouvé une mère en per-
dant une amante, s'est vu ravir la place par une belle-
mère systématiquement dans les parages…

2. Papa Cancer

Il pense sincèrement, suivant son modèle personnel, qu'un enfant – et le sien a fortiori – a avant toute chose besoin de sa maman et du rôle de protection, de nutrition et de stabilité dans l'espace-temps qu'elle représente. Son drame caché apparaît alors clairement : *il veut être mère à la place de la mère.* Il sent en lui, souvent à juste titre, les dons innés de maternité qu'il croit socialement reconnus aux seules femmes.

Partant de là, plusieurs schémas peuvent se dessiner. Il peut apprécier d'être « l'enfant de la mère de ses enfants », devenant papa-douceurs, camarade de tous les jeux, grand pourvoyeur de nounours et d'objets magiques qui feront de l'univers de son enfant un lieu merveilleux, très près de leur cœur et de leur intuition, éveillé au moindre appel pour donner le biberon (ah ! mais que ne peut-il allaiter !), consoler d'un cauchemar, emmener à la piscine, faire des dessins, découpages et collages… ou aller au cinéma voir tous les dessins animés en vogue, organiser des goûters déguisés et comploter dans le dos de la maman, mais ignorant presque ses obligations – tristes – de chef de famille. A la limite, l'épouse voudrait bien travailler et tout prendre en charge qu'il en serait le plus heureux, préférant s'occuper de la cuisine et de la maison et laisser maman-coq aux prises avec la réalité terrienne.

Par contre, second schéma possible si la maman ne comprend pas intuitivement ses états d'âme et dénonce ce qu'elle appelle sa « mièvrerie » : trop susceptible et sensible pour s'expliquer, il préférera se morfondre dans l'absence, disparaître dans la mélancolie et traîner avec ses copains de bars en bars, tout ça pour ne jamais entrer ouvertement en conflit avec la mère qui doit, selon ses principes, demeurer sur son piédestal. Il sera sans doute malheureux d'être ainsi étranger à ce monde de la petite enfance qui l'émeut tant. Il espérera pouvoir se rapprocher de ses enfants avec l'âge mais, comme il a plus d'affinités avec les tout-petits qu'avec les grands, le risque existe qu'il passe toute sa vie « à côté » de l'amour immense qu'il leur porte sans l'exprimer. Triste décor pour papa Cancer, auquel correspond tout à fait le slogan publicitaire suivant : « *Aujourd'hui, les bébés Cadum ont des bébés* »...

Heureusement pour tout le monde, les mœurs changent et les traditionnelles répartitions des rôles aussi. Il y a de fortes chances pour que les mamans d'aujourd'hui comprennent mieux, reprochent moins et laissent les hommes Cancer vivre cette paternité/maternité qu'ils convoitent et dans laquelle ils savent d'ailleurs bien se débrouiller. Rien d'autre ne peut les rendre plus heureux et donner un vrai sens à leur vie. Ce bonheur, papa Cancer le souhaitera alors contagieux, pour tous les papas, les mamans, les enfants de la Terre, de l'Univers... On espère quand même que quelqu'un d'autre, dans la famille ou dans l'entourage, saura apporter un modèle vraiment masculin dans le décor, en particulier à l'égard des petits garçons...

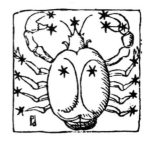

Le Cancer, dans *De astrorum sciencia* de Léopold d'Autriche.
(Augsbourg, 1489).

Le Christ, le Soleil, la Lune et les quatre évangélistes qui
vont raconter leur Apocalypse, leur Vision. Du Livre d'Enoch
à la Bible, on conserve la tradition ésotérique. Dans la Bible
elle-même, les références astrologiques existent :
Deut., XXXIII, 14 ; Jug., V, 20 ; Ps., XIX, 3 ;
Dan., IV, 26 et V,4 ; Matth. II, 2 et XXIV, 29 ; Apocalypse.

IX

Rencontre avec le sacré en soi

1. Les rapports entre astrologie et religion

Quelques rappels historiques sont ici nécessaires afin de mieux appréhender les rapports existant entre l'astrologie et l'Eglise chrétienne, en particulier occidentale. Dans toutes les civilisations, l'astrologie peut être considérée comme la base initiale de la religion, car elle représente le premier lien **conscientisé et organisé** de l'homme avec « le toujours plus grand que lui », la Loi cosmique qui a successivement pris tous les noms de Dieu et dont le message – le Verbe – redescend jusqu'à l'homme. Cela dit, les débuts du christianisme catholique – plus encore que l'avènement du bouddhisme ou de l'islam, et différemment de la tradition juive ou d'anciens textes comme le Talmud ou le Zohar – ont rompu avec l'astrologie, dénoncée en regard de ses origines « païennes » et accusée de supplanter Christ, seul détenteur du « destin » des âmes incarnées sur Terre…

Néanmoins, les liens entre l'astrologie et le christianisme sont inhérents aux **symboles de Lumière et de Verbe qui leur sont communs.** Sans développer ici la richesse de ces liens (1) qui témoignent judicieusement de l'**éternité** et de l'**universalité** des principes

1. Voir, de Eugène Brunet : *Dieu parle aux hommes par les astres* (Editions Montorgueil).

immuables de la structure de l'imaginaire humain, nous tentons d'aborder les analogies qui existent entre les signes du zodiaque et les différentes figures centrales du christianisme. Nos églises et nos cathédrales nous fournissent des milliers d'exemples de ces associations fondamentales à travers les bas-reliefs, les vitraux, les sculptures… et nous en avons extrait ici quelques représentations.

Cela est d'autant plus important pour les signes fixes (Taureau, Lion, Scorpion et Verseau) qui sont clairement cités dans leur analogie aux quatre vivants de l'Apocalypse, tandis que le signe du Poissons (symbole du christianisme) est, quant à lui, présent dans la géographie sacrée des sept églises chrétiennes d'Asie, dont le plan au sol reflète la figure de la constellation stellaire du Poissons… elle-même liée dans le ciel – et dans le symbolisme astrologique – à la constellation du Crater, la coupe (le Graal) analogique au signe de la Vierge. N'oublions pas, non plus, l'analogie entre ce signe et le réceptacle géographique de Christ – Bethléem (« Maison du Pain ») – pointant le devoir de Marie de **recevoir, nourrir puis restituer le Fils au Père,** d'être terre d'accueil mais surtout de passage, cathédrale pour **accomplir l'Epiphanie, ce lien entre Réception et Résurrection** si cher à la tradition orientale. Si cela est tout particulièrement pointé dans le signe de la Vierge (signe de l'« éternel humain »…), c'est qu'il demeure au cœur des liens entre minuscule et Majuscule, entre temporel et Eternel, entre humain et Divin. L'astrologie participe donc de l'*anacrise* (2), ce désir fou et spécifique de l'être humain d'**établir un dialogue construit entre sa part terrestre et sa part angélique** et, en ce sens, monter

---

2. Voir, de Robert Amadou : *L'Anacrise/Pélagiu*s (Carisprit).

Scholium de duodecin zodiaci, signis et de ventis.
(Art religieux du Xᵉ siècle.)

un thème astral revient à **parier sur la capacité humaine à intercepter un instant d'éternité.**

C'est ici que se pose, selon moi, la question clef de l'astrologie : *avoir trouvé la technique qui permet d'intercepter cette part d'Ineffable autorise-t-il à penser que l'on y participe pour autant ?* Ou que, pire encore, on la maîtrise ? La réponse ne peut venir que du cœur et des rapports intimes que chacun entretient avec la Foi. Mais, dans tous les cas, la miséricorde et l'Amour divins sont immenses...

2. Ambiguïté de l'Église chrétienne d'Occident

La Bible – comme tous les textes sacrés, comme l'astrologie et comme les symboliques de toutes les traditions – est en base 12. D'autre part, la tradition mystique nous présente saint Jean comme un prophète-astrologue, ce qu'étaient les apôtres ainsi que les Rois mages. Mais que sont-ils tous, sinon des messagers de la Lumière, cette Lumière que nous savons aujourd'hui lire dans sa réalité biophysique ? Peut-être qu'à la fin du XXe siècle, grâce à la jonction du savoir scientifique infiniment développé et de la connaissance symbolique et mystique ancestrale, l'humanité est enfin sur le point de comprendre l'unité des énergies de l'univers ?... Libre ensuite à chacun de retrouver cette unité avec l'aide de Dieu, quel que soit le nom qu'il lui donne...

Si l'astrologie est donc l'une des courroies de transmission du message lumineux, les quatre signes fixes y sont les quatre messagers désignés, de par leur analogie avec les quatre vivants de l'Apocalypse de saint Jean. En effet, après son exhortation aux sept églises, symbole de la Jérusalem céleste, saint Jean raconte sa vision du trône de Dieu, c'est-à-dire tex-

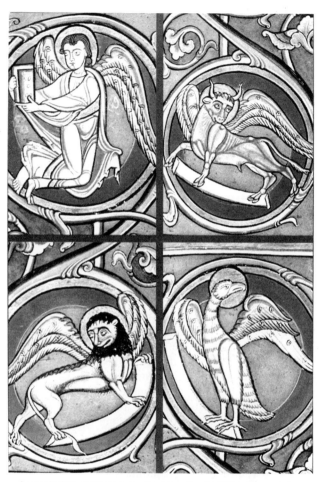

Association entre les quatre vivants de l'Apocalypse, les quatre éléments et les quatre signes fixes du zodiaque : Taureau (Terre) – Lion (Feu) – Aigle-Scorpion (Eau) – Homme-Verseau (Air), que l'on retrouve ainsi associés dans le principe du Sphinx.

(Manuscrit du XVᵉ siècle ; Bibliothèque nationale, Paris.)

tuellement « *la façon dont le trône de Dieu lui est révélé* » (le mot mal interprété d'Apocalypse signifiant « Révélation ») :

– Sur le trône, quelqu'un (Christ sur son trône ou dans les mandorles au sein desquelles il est représenté sur les frontispices et les portails de nos églises).

– Autour, les vingt-quatre vieillards (les ancêtres).

– Encore autour, les sept esprits de Dieu (les sept énergies, les sept couleurs de la lumière solaire, les sept notes de musique avec l'exactitude des correspondances énergétiques que l'on retrouve dans les chants grégoriens, nos sept planètes majeures de l'astrologie…).

Enfin, les quatre vivants (les quatre survivants, en fait, qui ont pour mission de transmettre le Verbe, *la révélation de l'Apocalypse*) qui sont les quatre évangélistes :

– **Le premier vivant est comme un lion ;** c'est saint Marc associé au signe du Lion, prophète « militant » dont les coptes se réclament, dans la droite ligne des enseignements des Pères du désert.

– **Le second vivant est comme un jeune taureau ;** c'est saint Luc associé au signe du Taureau, signe du désir de Création dont l'enjeu terrestre sera d'accéder au Verbe déposé dans sa chair, après avoir déblayé la matière qui le protège, ou l'opacifie…

– **Le troisième vivant a comme un visage d'ange ;** c'est saint Matthieu associé au signe du Verseau, pédagogue du Verbe et réconciliateur de l'homme avec sa part divine.

– **Le quatrième vivant est comme un aigle en plein vol ;** c'est saint Jean, associé au signe du Scorpion, auquel correspond l'emblème de l'aigle dans la Tradition et dont les capacités transmutatoires ouvrent sur la révélation et la possible résurrection.

Le Cancer.
(Cathédrale Notre-Dame d'Amiens, 1220-1230.)

La transmission de l'Orient devient d'autant plus intéressante qu'on se souvient que ces quatre figures centrales du taureau, du lion, de l'aigle et de l'homme, représentant les quatre éléments Feu, Terre, Air et Eau, se retrouvent dans la carte du tarot le Monde, comme elles sont aussi réunies dans le symbole du Sphinx, archétype du secret, signe de la présence du message divin universel sur Terre. Il n'en reste pas moins difficile pour tout un chacun de retrouver son « bout de Sphinx » en lui-même. Disons simplement qu'une lecture astrologique – par un astrologue *qui joue véritablement son rôle d'évangéliste* – y aide… Savoir ce qu'on en fait et comment on va être capable de le faire, est une question humaine, psychologique, socioculturelle et contingente qui, en tant que telle, n'appartient plus à l'astrologie…

3. Le sens du sacré selon le Cancer

Si les signes fixes portent symboliquement le message divin, s'ils sont analogiquement le dépôt du fameux *« Connais-toi toi-même »* (attention, je n'ai pas dit que tous les natifs Taureau, Scorpion, Lion et Verseau ont la sagesse infuse, beaucoup s'en faut…), le Cancer – avec son jumeau Capricorne – se tient devant la grande porte de l'Initiation. Nous avons compris, à travers tout ce qui précède, que son hésitation à la franchir peut durer… des siècles, ce qui revient aussi à dire qu'il faut parfois un événement majeur dans sa vie – ou une catastrophe – pour qu'il quitte les contrées confortables du passé et ouvre son cœur. **Car c'est bien dans l'ouverture du cœur que se trouve le sentier ténu du passage vers la Lumière...** Toutes les possibilités d'y parvenir existent dans le signe ; le reste est fonction de son niveau de développement personnel.

Mais longtemps le Cancer **confond délibérément occultisme, magie, divination, avec la Foi.** C'est là le piège principal, piège qui, dans les égarements qu'il provoque, constitue aussi, à condition qu'il le dépasse, un Message, un possible progrès. Etre du côté de l'ombre, du côté du monde occulte et mystérieux, agrémenté de pouvoirs médiumniques (vrais ou présumés), et hantés de figures fantasmagoriques sinon vampiriques (d'aucuns diront même sataniques...), c'est au fond continuer à **subir la loi du féminin, la loi de la Mère.**

On est du côté de la croyance et du culte, tout ce goût prononcé du Cancer pour les rites et les cérémonies plus ou moins occultes. Mais si chacun a le droit de choisir cette voie, il s'agit d'avoir la conscience claire : **le mystérieux n'a jamais conduit aux Mystères,** c'est-à-dire au message des Evangiles...

La Foi véridique n'est pas magique en soit, elle n'est pas réservée à un petit cercle d'initiés ombrageux, modèle de famille protectrice même si elle est néfaste et régressive. **La Foi véridique est avant tout liberté et lumière.**

Le Cancer le découvrira-t-il jamais ? Passera-t-il la porte du dénuement et de l'ouverture de l'âme ? Franchira-t-il jamais le palier de conscience nécessaire à cette illumination ?... Autant de questions qui ne peuvent avoir de réponses que dans le vécu de chacun.

Vierge allaitant.
(Manuscrit du XIVᵉ siècle ;
Bibliothèque nationale, Paris.)

Alors, si ce miracle se fait, si le Cancer n'a plus besoin de mille croyances et de mille certitudes, s'il renonce à son goût de la soumission à une loi invisible et occulte, bien pratique aussi, alors... le dévouement qui le caractérise, l'Amour qui demeure au centre de lui-même, dépassant le cadre restreint de sa famille et de ses enfants de chair, pourra se déverser sur le monde et remplir, **nourrir l'univers tout entier.** Il s'agit, pour lui, de redonner à la **nutrition,** symbole central du signe, **le sens de communion qu'elle avait pour Christ :** à chaque fois qu'ils étaient réunis pour partager leur Amour, Christ et ses fidèles mangèrent et burent. Belles images d'ouverture que le Cancer sent au fond de lui, qui le fascinent autant qu'elles le terrorisent...

Il dort, il dort, le Cancer. Attend-il que ça se passe ou attend-il d'avoir réuni ses forces ? Peut-être, au fond de ses songes, entendra-t-il le message lumineux et libérateur du Cantique des Cantiques : *« Je dors, mais mon cœur veille* (3)*... »*

---

3. Cantique des Cantiques, V, 5.

Conclusion

Connaître son signe solaire est toujours utile et important : c'est une **première approche** sur le chemin de la découverte et du développement de soi. Au rang des outils qui favorisent cette analyse intérieure et permettent une connexion avec l'Eternel en nous, l'astrologie a pour elle le mérite, la sagesse et la validité des siècles. Elle donne tout son sens à la phrase de Clément d'Alexandrie : *« Le cheminement vers soi-même passe par les douze signes du zodiaque. »*

Nous avons tenté de condenser ici le maximum d'informations de qualité pour vous permettre de franchir cette première étape. Vous savez à présent que **nous portons en nous une certaine palette de signes différents,** qui influent sur nous en synergie, et que nous ne sommes pas marqués uniquement par notre seul signe solaire. Loin s'en faut ! Alors, si rien ne remplace une consultation chez l'astrologue, il reste très important de découvrir ses propres dominantes : le signe de l'ascendant et de la Lune puis, dans un second temps, ceux des autres planètes marquantes dans son thème. Il est important aussi de se référer aux signes de ses proches, famille, amis et relations professionnelles pour mieux les comprendre, les aimer, les respecter afin d'évoluer ensemble dans l'harmonie.

Les **autres ouvrages de cette collection,** en vous faisant découvrir vos autres facettes cachées, en découvrant vos fonctionnements profonds et ceux de l'*autre,* favoriseront la tolérance, l'amour et l'échange. En attendant, nous espérons que la lecture de ce premier signe vous aura donné envie de découvrir les autres…

Pour connaître votre ascendant, vos positions planétaires, votre thème astral complet ou pour vous initier à l'astrologie, au tarot et bénéficier d'un réseau d'activités pluridisciplinaires, vous pouvez vous adresser à Aline Apostolska, via l'*« Association pour le développement de l'astrologie, de la cosmographie et de la mythologie de la région Centre »* :

Astarté – B.P. 2222 – 45012 Orléans Cédex 01

Table des matières

Imprimé par CLERC S.A.
18200 St-Amand-Montrond (France)
pour le compte des EDITIONS DANGLES.

Dépôt légal éditeur n° 1893 – Imprimeur n° 5248
Achevé d'imprimer en janvier 1994.